D1462090

林白
1999.11.20.

林　白　本名林白薇。广西人。1982 年毕业于武汉大学。现居北京。

早年曾插队，当过乡村学校的中学教师。大学毕业后曾从事图书、电影、新闻等行业的工作。现从事自由写作。

十九岁开始发表诗歌，后以小说写作为主。主要作品有：

长篇小说

《一个人的战争》

《说吧，房间》

《守望空心岁月》

《青苔》

中短篇小说集

《子弹穿过苹果》

《致命的飞翔》

《同心爱者不能分手》

《回廊之椅》等

散文随笔集

《丝绸与岁月》

《德尔沃的月光》

《像鬼一样迷人》等四部。

另有《林白文集》1、2、3、4 卷出版。

有部分小说翻译成英、德、意、日、韩文发表或出版。长篇《一个人的战争》有韩译本，并有香港天地版，台湾麦田版。

HOUSTON PUBLIC LIBRARY

R01255 07218

我 的 电 影 生 涯 ： 一 部 虚 构 的 回 忆 录

玻 璃 虫

林 白著

作家出版社

目 录

前言 电影虫子

蛛蛛，双声叠韵，把嘴唇嘟起来，舌头悬空，轻轻吐气，一个电影虫子立即诞生在空气中。林蛛蛛，这个名字使我心花怒放，虽然听起来它有点傻头傻脑，没心没肺，但我无比喜欢它。

我爱它就像爱我自己。

我改名，是因为李管说我的本名像交际花。

李管和我关系纯洁，他是我众多的关系纯洁的男友之一，除此之外，他还是当年我们省文坛的第一才子，因此当他说我的名字像一个交际花的名字时，我觉得天就要塌下来了。

他说，林白薇，陈白露，这两个名字太像了。要是光听名字不看人，我真以为你是三十年代的交际花，就跟陈白露住同一个饭店。

我认为李管的这种说法深深伤害了我。

当时我刚刚看完电影《日出》，我一听陈白露这个名字马上就会想起一副棺材，在清晨的薄雾中，在人迹稀少的大街上，一副棺材无声地抬过。在我看来，交际花就是那种花天酒地结局悲惨的女人。

数年之后，我才看到普鲁斯特关于交际花的论述，他说：这些既无所事事又用心良苦的妇女所扮演的角色，其魅力之一在于：她们以她们的热情、她们的才能，以及优美的感情所具备的一种梦境和她们不必破费便可轻易到手的一种金玉般的华彩，像名贵而细巧的嵌饰，把男人们毛糙而缺乏磨砺的生活装缀得富丽堂皇。对于梦境，她们像艺术家一样，既不追求实际价值，也不让它局限于现实生活。

如此看来，交际花生涯也是一种高尚的艺术事业。

但我一开始就已意识到，我即使想当交际花也当不成，我有陈白露（在我的印象中就是电影里的方舒）那么漂亮吗？没有。我有陈白露那么性感吗？没有。我有陈白露那么长袖善舞吗？更没有。但我就是执意不当自己根本没能力当上的人，这是人性之一。

到电影厂是一个契机，一个全新的环境，谁也不知道我原来叫什么名字，我趁机改了名，而且一见生人就抢着告诉人家，我叫林蛛蛛。而且我给所有的朋友写了信，声称谁在信封上写我的本名，我将永远不回信。

就这样，林蛛蛛这个名字在我的身上迅速滋长，它布满了我的皮肤，蔓延到我的血液，然后从我的眼睛里闪烁出光芒，紧接着，林蛛蛛浓密的长发像蛇一样吱吱地长出来，一直垂落到我的肩上。

我觉得它有点像整容术，改变了原来的我。

我的职业电影生涯始于 1985 年 12 月，结束于 1990 年 3 月。这段时间我在广西电影制片厂文学部当编辑，责编过两部电影。

广西电影制片厂在八十年代是一个重要的电影厂，张艺谋、张军钊都是广西厂的在册人员，青史留名的《一个和八个》《黄土地》《大阅兵》也都是从这个边远小厂嘴里吐出来的。

当年广影和西影是第五代导演的策源地，虎啸龙吟，车辚辚马啸啸，大风起分云飞扬，蔚为大观。在当年广西电影制片厂的大门口的空地上，著名导演和漂亮的女演员进进出出，制片、摄影、美工、录音、服装、道具、灯光、剧务，车水马龙，所有人走路都带着弹性，鼻尖上冒着幸福的亮光（南宁是一座炎热的城市，当时还没有空调，从四月到十一月，没有人能不出汗就度过一天），这个场景给我留下了深刻的印象。

事实上我基本没有经历过这样一个狂欢的时期。我只到机场去接过一次上海导演白沉，我是他将要拍的剧本的责任编辑，剧本是《乡音》《乡情》的路子，有一点淡淡的哀愁。

白沉是一个瘦瘦的矮小老头，满头白发，特别白，脸是红的。

我小时候经常看旧电影画报，知道白沉，知道他是从香港回来的。我希望这部片子能上，出来一部精湛的艺术片，得一两个什么奖。

我至今记得白沉把自己的双手交叉在一起紧紧握着，他说这是他设计的一个动作，让男女主角就这样握着，非常含蓄，但感情全都表达出来了，一句话都不要多说。本来这是一个普通的动作，但经白沉这么一番完全沉浸在剧情中的表演，我立即觉得这个动作真是非常非常有感情，真是太好了。他还提到了女主角的扮演者，好像是叫徐什么，他说这是一个非常优秀的演员，她在什么什么时候上别的戏，什么什么时候有空档，她当时刚刚拍过《秋天里的春天》，比较抢手，但他一定要等到她，白沉希望厂里能马上筹拍，不然女主角就没空了。

我一直没有看到《秋天里的春天》，但我牢牢记住了这个女演员。直到九十年代，我才在青艺剧场的前厅看到了她的照片，她的头发中分，全部往上梳，前额高而光洁，看上去气质非常好，美而含蓄，有一点点幽怨。确实很适合白沉的电影。

但白沉的电影最终没有上成。当时厂里说要上，过几个月就筹备，让白沉回上海等，我和部主任把白沉送回机场的时候他一再希望厂里要抓紧，部主任则不停地表示一定会抓紧，请他放心。

后来就没有下文了。

这是我在广西电影制片厂的四年里唯一的一次责编一个艺术片的经历。

商业大潮汹涌而至，所有的艺术片都上不了了。这就是我赶上的电影时代。考虑一部片子要不要上，唯一的因素就是拷贝、拷贝、拷贝。在四年中，我一共责编了两部片子，一部是武打片，一部是喜剧片。

喜剧使我想起卓别林，辉煌的默片时代，优美的黑白电影，穷人、流浪汉、盲女，《淘金记》《摩登时代》《城市之光》，它们像水滴一样滴落，赏心悦目。伍迪·艾伦的一些片子色彩鲜艳形象夸张充满了幻想，他的香蕉有一棵树那么高，蔬菜有一间房子那么大，还有十分有趣的高潮机，说的是未来时代的男女失去了性能力，但是不要紧，这种像电话亭一样的长筒子就是帮助你们达到性高潮的，一男一女走进去，一按开关，性快感从天而降，不论男女，全都哇哇大叫，就像突然着了火。还有前苏联的《办公室的故事》，以及我从未看过但多次听说的《天堂里的笑声》，起码有十个人对我说过这部片子，它被镀上了一层又一层的金，光芒与日俱增，我至今对它怀有无限的憧憬。

但我责编的喜剧片使我头昏、疲惫、想睡觉乃至深恶痛绝。

深恶痛绝，这就是我要使用的词。

我讨厌那个剧本，讨厌它的题目，它的故事，它的对话，它的人名。我看哪哪都觉得不舒服。我是一个在文学中浸泡过数年的人，阅读那个喜剧剧本对我来说就像嘴里被人塞满了沙子，有一种生理上的痛苦。但我必须责编这个本子，在领导看来，这是我的福份，是对我的关照。因为这是一个肯定能上的本子，这样我不但能完成全年的任务，而且还能得到一笔数目不小的编辑费。

编辑的职责之一，是要到一个干私活的人那里打印剧本，用那种庞大笨重的中文打字机，用蜡纸印油，用手，一张张印出来，然后装订成二十几三十本，分发给有关人员。

为这样一个本子付出劳动，我十二分不情愿，所以觉得太阳数倍地大，道路数倍遥远。我看到亚热带的太阳像熊熊燃烧的大火，南宁西郊的道路上尘土飞扬，空气中的每一粒灰尘都闪着黄色的光，我推着单车来到了阳光下，火烧着我的车（车身、车头、把手和座鞍全都是烫的）和我的身体，我穿着一套无袖的短衫短裤，我的双臂和大腿在太阳底下发出吱吱的声音，皮肤上起了一层看不见的烟，眉毛也要烧起来了，因为我戴的草帽是当时最时髦的那种，在帽檐上有两排樱桃大小的洞以作为装饰，这些洞把阳光聚集在一起，第一排直射我的眉毛，第二排直射我的脸颊（幸亏没有射着我的眼珠），还没有走出十米我就觉得脸上已经起了黄豆大的黑斑，黑斑正在连成一片，我很后悔自己赶时髦，如果这时候有一顶大笠帽，还有一大块布，我一定马上就把布蒙在笠帽上，把自己弄得像下田插秧的农民也在所不惜！

好在我是千锤百炼成长起来的南方人，几分钟之后我就挺过来了，我以一种燃烧的状态在太阳底下飞驰，我的血液哗哗流动，脸上红得像一朵花。这时候我就骑到了岔路口。

岔路通向广西农学院，那是一条美好的小路，高大的柚加利树的浓荫遮住了阳光，两边是宽阔的稻田，大片的绿色把清凉的水汽送进我的肺腑，火焰熄灭了，我全身顷刻变得柔软起来，草帽上的窟窿也不再是敌人，这些洞眼输送着湿润的风，我恨不得它们更大一点。岔路的路面是细沙和细石块（后来它什么时候变成了水泥呢？），既吸水又有摩擦力，还不会像柏油路面那样散发出逼人的热气。这真是最有人性的路面。

为了这样的路面我就要热爱广西农学院，我现在还觉得农学是一门亲切的学问，农学院包含了人间美好的事物，在酷热的下午，说它是人间的天堂也不为过。

现在，天堂就到了，我越过门卫和大铁门，从后门进入了广西农学院。我继续骑车，我的车轮下是水泥小径，周围是芒果树、榕树、枇杷树、桉树，我穿过辽阔的校园来到教工宿舍区，在一丛青草跟前停了下来。

我走上四楼，敲开一扇门，一个戴眼镜的女人把我迎进屋，她白晰、文静，看起来特别有文化，但她屋里满是浓郁的油墨味，她的里屋放着一台笨重的中文打字机，每打一个字都要发出钢铁撞击的声音，她戴着一双深蓝色的袖套，上面沾着油墨，我说是电影厂的同事介绍我到这里来，她点点头，问我急不急。

我责编的剧本就是在这里印出来的。我下楼的时候就听到了铁跟铁相撞的声音，这声音一直传到我放单车的那丛青草跟前。

现在看来，我并不那么仇恨这部喜剧，它是我电影生涯的一个硕果，比南瓜还大，比冬瓜还沉，是我评职称的一发炮弹，最最要紧的是，这个成果使我实现了从借调到正式调入电影厂的飞跃。我几乎就要把这点忘记了，这真是不应该啊！从现在开始，我要牢记这一点。

但我无论如果都想不起这部喜剧的名字了。

武打片同样使我无地自容。

剧本作者曾是南宁的一个知名作家，他后来调到了珠影。他的文字感觉很好，而且他知道我的文字感觉也很好，他随便我给他的本子取一个漂亮的名字。

这使我大为兴奋。

我呼的一下把自己擦亮，又呼的一下把自己点燃。一只火球在房间里滚来滚去，这就是我当时的样子。

词和短句噌噌地往外冒，在我的头顶像焰火一样开放，在黑暗中蔚为壮观。至凌晨一点，这部武打片的片名就有了五十个，它们歪歪扭扭挤在一张纸上。

这使我得意洋洋。

天亮我把这五十个题目拿去给文学部当时主事的侯主任，侯对我甚信赖。他说：林蛛蛛，你看哪个最好？我指着我自己划了圈的那个说：这个最好。

侯主任说：很好，就用这个吧。

到了我第二次印本子的时候，题目却改成了十分恶心不伦不类的另一个。据说是厂里艺术委员会的主意，因为我取的题目不卖座。

所以我责编的第二部片子的片名我也想不起来了。

一部喜剧片，一部武打片，我就这样经历了职业的电影生涯。它们是如此不光彩，以至于我不想再提到。

但电影厂的岁月在我的一生中是九重宫殿，我从这头进去，从那头出来，对我来说，它的内部像大海一样浩瀚，无数事物在暗处和明处激荡，给我的一生留下了深刻的印痕。

我的爱与性、我的心痛、我的疯狂、我的黄上衣与木耳环、我的北京和广州、我的恋人我的情敌、我的花与酒、我的西园和明园、我的无赖、我的脚踩三只船、我的喜剧和武打，所有这些，都缭绕在电影厂淡黄色的大门里，是办公大楼里积年的灰尘、石凳旁边的青草、橱窗上玻璃的反光，以及我居住的灰色楼房前的木瓜树。

它们在那里等候已久。

第一章 跨越房间的无赖

十几个武打演员住在我的隔壁，他们从辽宁来，等着到外景地拍我责编的那部武打片。

那不是一般的隔壁，而是同一个套间，在同一个厅里进进出出，要使用同一个卫生间，上同一个厕所，在同一个地方洗澡刷牙，在同一个阳台晾衣服，大门一关，就是一家人的住法。

而他们十几人全是男的，只有我一个女性。

七月的南宁，每天都三十六七度的高温，没有一丝风，所有的东西都是烫的。这些来自东北的男人们从早到晚光着膀子，他们无所事事，无处可去，户外烈日炎炎，令人望而生畏，只好整天呆在招待所里。

他们像动物一样趴在地上喘粗气，还不时发出几声怪叫。一些人从中午开始就川流不息地到卫生间冲凉，穿着短裤，唱着歌，光膀子上搭着毛巾，活像一座兵营降落在我的身边。

从早到晚，只要我要上厕所，要烧开水，要洗衣服，要洗澡，洗脸刷牙，我就得穿越十几名来回走动的半裸男人，他们就像十几堆正在燃烧的火，在火光的映照下，我觉得这五十多平米的客厅是如此辽阔又是如此狭窄，辽阔的错觉源于我老感到走过客厅特别累，狭窄是因为他们把厅都

11

塞满了。

好容易来到卫生间门口，八成又会碰到一个半裸的男人从里面出来，如果撞一下，他身上的汗就会直接擦到我光裸的手臂上，黏乎乎热烘烘的，在任何时候，和别人的皮肤接触总是一件很不舒服的事，那种陌生的腻滑就像是被一口黏痰沾在皮肤上一样恶心。

忍住恶心走进卫生间，正要深呼吸，好把那恶心释放出去，不料又一口吸入另一种恶心，浓郁的男人气味和不卫生的习惯相混合，把好好的卫生间变得像公共厕所，事实上它此时正是一个男女不分的公厕。我憋着气打开水龙头，憋着气接水，然后又憋着气把水提到走廊上，真是比万米长跑还要累啊！我喘着气低着头洗我的衣服，一抬眼皮，却发现有几个半裸的身体在走廊的前后左右走来走去，他们望着我的桶问：林编辑你洗衣服？

在我桶里的裙子下面埋着胸罩和内裤，我不知道怎样在众目睽睽之下把它们拿出来擦肥皂。我只好拎着桶，重新穿过封锁线，回到敌后（这些话语习惯都是来自过去的电影），我关上门，在自己的小房间里继续洗衣服。如果置身其外，我觉得这个场面比较可笑，一群赤身男人在厅里游逛，一个女人关起门偷偷摸摸洗内衣，多么的不正常，多么的病态！

也许这个画面另有深意。

然后我把内衣晾在哪里呢？

既要机智，又要勇敢，智勇双全的女人，躲过了敌人的眼睛，她巧妙地把乳罩和内裤挂在了裙子的里面，然后她举着衣架重返敌人的封锁线，飘扬着的裙子就像一面胜利的旗帜，虽然这个比喻有点庸俗，但我觉得它太恰当不过了。

智勇双全的女人，镇定地把裙子挂在了共用的阳台上，这下她的秘密的小衣服就能堂而皇之地晒到太阳了。所有生活在男性眼皮底下的女性，对这些机巧都会无师自通。

从他们入住的第一天开始，男人的汗臭味和烟臭味相混和的一种气味就弥漫在这套房间里，每件物品，每一个毛孔都是他们的气味，电灯、龙头、窗户、地板、墙角，臭气从这些毛孔徐徐散发，又从门缝进入我的房间，弄得我的床上、枕头上全是男人的汗臭味，它们是如此强大，完全覆盖了我自己的气息；又是如此顽固，挥之不去，洗之不净。

这些气味使我感到不适。

怪不得，那么多女人在骂男人的时候都说他们是"臭男人"，男人真的是臭的，女人天生就是香的。这不是我的发现，而是我们厂招待所打扫卫生的人说的，她们是两个漂亮的女人，一个二十多岁，一个三十多岁，在一个春天或者秋天（这里排除了因气候恶劣心情不好带来的偏见）晴朗的上午，她们在收拾一间只有一个男人住过一天的房间时说的，当时我刚刚起床，正在厅里踱步，她们说：真奇怪，男人住的房间怎么总是一股臭气，女人住的房间都是香的。那时候我还没有与十几个男人同住一个套间的经历，于是我替他们辩护说，那是因为男人抽烟，女人往身上喷香水。她们抢着说，不对，那臭并不是烟臭，烟甚至是香的，不然怎么叫香烟，女人的香也不是香水的香，香水的香谁还闻不出来。

我觉得她们说得很有意思。后来的日子里，发现那竟是真知灼见。

在我住招待所的一年时间里，隔壁只住过一个女人，这个女人十分年轻，只有二十岁，非常美丽，是程麻（程麻就是《一个人的战争》里的N，为了使人注意到这一点，在下文我将称他为程麻N）挑选来主演他导演的那部神话片中的仙女的。对，她就是梅飞（梅飞是《一个人的战争》里的董翩）。

梅飞，想起这个名字我就会闻到一股淡淡的香气，她住在我的隔壁，她的香气像清水滴落在阳台前的芭蕉叶上，使整套房间充满了一层薄薄的清绿，在炎热的夏天里，那真是沁人肺腑啊！这种她身上独有的香味在客厅里若有若无，在卫生间里就明确得多。卫生间窗台洁白的瓷砖上，摆着一排玲珑剔透的小瓶子，那是梅飞的个人用品，洗发水、沐浴液、香皂、洗面奶、收缩水、护肤液、防晒霜、护手霜、眼袋霜等等，从本能来说，我不喜欢一个人过分细致地摆弄她的脸，但我却无端喜欢她的这些小瓶子，我觉得尽管梅飞有这么多的护肤化妆品，她也仍是一个生活简单的人，换了别的女演员，这些乱七八糟的东西要比她多一倍不止。

奇怪的是，这些小瓶子散发出来的并不是各自品牌本身的香气，而是梅飞身上的气息。我在梅飞不在的时候把鼻子凑到瓶子跟前一一闻了一遍，无一例外，它们统统都是梅飞身上的幽香。

梅飞真是一个仙女啊，她还没开始上戏就成了仙女，难怪程麻N走遍大江南北，把她挑了出来，他去了北京上海，又到了杭州扬州，踩破了无数剧团的门槛，最后在广州的战友歌舞团把她找到，她是上海人，参军到了广州。我现在还认为，程麻在某种时候拥有一副火眼金睛。

在那段日子里，我没事就喜欢在卫生间里呆着，那里异香缭绕，终日不散，我在卫生间里深呼吸，一下一下又一下，淡绿的清香进入我的五脏六腑，犹如草原上微风荡漾，每一棵草都在摇晃中舒展腰身。女人的体香是尘世的花朵，它使我的身体变成了某种天堂。

我多么爱她宽大的男式衬衣，那件本白棉布衬衫把她的双臂遮得严严实实，比最优质的防晒油更有效；我爱她宽檐的大草帽，帽子上的麦秸密实而生动，让人想起无边的麦田；我爱她的墨镜，这使她看上去像一个妖精；我爱她的凉鞋，她裸露的指甲盖有着珍珠的光泽，她的脚后跟则像一大瓣粉红色的玉兰花瓣。

我爱她的芬芳，她在浴室里发出的水声，爱那温润的水雾汽，雾汽散去，美人出浴，在残留的薄雾中，梅飞裸露的身体婀娜柔软，参差的水珠在她身上闪烁，在凸起处、拐弯处、凹陷处，那些水珠完全变成了另外一种水珠，跟珍珠有相同的质地，却闪着钻石的光。

我多想变成土耳其皇帝啊！让梅飞当我的女奴，就这样，赤身缀着珍珠，站在我的浴池跟前，让我抚摸她美好的身体。

但我还是不要当皇帝，帝制应该打倒；梅飞也不要当我的女奴，奴隶制也要推翻。就让她重新做她的仙女，在天上的瑶池里洗浴。

在夜晚，瑶池就是卫生间，客厅就是银河。河汉迢迢，咫尺天涯，"她在那边，我在这边，依然相距很远"（不记得是哪国的民歌了，歌名叫《晒稻草》）。银河就是银河，凡人

15

跨它不过，我在房间里，她在卫生间那边，水声传来，惊心动魄。

我不可能站在卫生间门口向内窥视，只有变成一名天仙，脚一点地，立即从窗口飞升到空中，然后再从空中降落到我们的灰房子的屋顶，出乎我的意料之外，屋顶不是用瓦盖的，而是水泥预制板，一点空隙都没有。于是我就让自己倒挂着悬浮在窗子旁边，卫生间没有窗帘，窗子大开，蒸汽一阵又一阵地涌出，直扑我的头脸，这些都是梅飞身上飘过来的水汽，异香扑鼻。当一名天仙令我满意，如果我是天仙，窥视就不再是窥视，而是张望，一点也不下流，一点也不猥琐卑劣，而是像朗朗星光，高尚而美好。

如果我是一名天仙，当然，我就与梅飞一同飞翔。我们将手拉手，脚并脚，衣服鼓荡着风，眼睛盯着北斗星，空气在我们的耳边磨擦，发出呼呼的声音。

十年过去，我多想重新爱上梅飞啊! 我爱你胜过爱费雯丽，我爱你胜过爱玛丽亚·卡拉斯。回首当年，梅飞住在我隔壁的三天时间里，她对我来说并不是一个仙女，而是一把利剑，我怀疑她跟程麻有某种私情，这在电影界，实在是太普遍了。我嫉妒这个比我小十岁的女孩，我的眼睛含着毒液，随着她外出不归的时间越来越长，我眼中的毒液越积越多，我在客厅里徘徊，像一条躁动不安的毒蛇，她一进门，毒液就会自动喷出。

二十岁的女孩，对这一切一无所知，她天真无邪（或者竟是老谋深算？），一进门看到我，立即就由衷地微笑，笑容明亮，把所有阴暗的角落，统统照亮。她高兴地说: 我去开会了! 声音像晴空中的碎银。

然后她就去洗脸，洗完脸就在厅里同我说话。她让我看她的眼睛，她说，你看，我都有眼袋了，我每天都要用这种眼袋膏，进口的，国产的没有用。她又说，你一点眼袋都没有，真好。

一把利剑就变回了仙女。她开会、试妆、再开会，到了第三天，她就出发去外景地了。从此以后，我就再没见到过她。好女孩不知今在何方。

我被围困在孤岛里，周围是男人的汪洋大海，整日风起云涌。

他们无事可做，怪叫、踢腿、俯卧撑，上上下下游逛。有时在楼顶乘凉，他们中读书多的人就要和我谈文化，谈天人合一，谈虚，谈什么样的人民就有什么样的政府，我很想告诉他们，我再这样住下去人就要发疯了。

我整夜睡不着觉，天热心烦，空气中布满了男人的汗臭，而且蚊子出奇多。在白天，可以在客厅、卫生间、厨房的角落里看到密密麻麻一片又一片，它们一动不动潜伏在墙上，跟死了似的。一到黄昏，就大张旗鼓地飞起来，嗡嗡的声音此起彼伏，把手伸出来，就能感到空气的震动。它们真是太多了，而且越来越多，有可能全厂的蚊子都在朝这幢灰房子的四楼上赶，像二战时的飞机，来势汹汹，一刻不停，是它们使天暗了下来。天一暗，就只好打开灯了，灯光使蚊子有了明确的目标，它们飞得更高兴了。

十几个武打演员的汗腺，同时发送着一场盛大狂欢的信息，就像十几面铜锣当当敲着，多远都能听见。

如果是梅飞，肯定不会招来蚊子。

我怀疑她身上的香气同时也是一种蚊香，所有真正的美人都是天然驱蚊的，如果她们走到哪里，哪里就有一群蚊子跟在身后，她们的美就会减少百分之九十。女人是植物，是各种树木或香草；男人则是动物，物以类聚，所以他们招来了这么多的蚊子。

我在房间的四个角落都点上蚊香也没有用。

而且我在蚊帐里，隔着门和墙，隔着蚊香，隔着蚊帐，三重屏障也无法消除蚊子的干扰。它们虽然还没有直接到达我的皮肤，但它们的重重包围使我神经紧张，

它们如乌云压顶，手里举着刀枪剑戟，高声叫喊。蚊子实在太多，于是有一部分就从门底下的空隙钻进来，在我蚊帐的周围嗡嗡飞转，我觉得它们总会找到一个突破口，蜂拥而入。

我年轻时最大的一次无政府主义行动就是在这个时候爆发的。

如同一次革命，经过了酝酿、积累、激发，最后到达临界点，箭在弦上，轰的一下就爆炸了。同时也像一次发疯，要受到种种刺激，最后才能到达大无畏的境界。又像一场大火，事先要有易燃物。而这一切，都堆在了灰房子里。

到了第三天，我觉得我快要发疯了。我决定要离开这个地方，不管去哪里，哪怕去监狱也行，监狱里起码有女牢，不必和十几个男人同居一室。但监狱是进不去的，我只有躲回北流老家。

在北流呆了七八天，睡了几个好觉，才又回到南宁。

灰楼尘埃落定，人去楼空，他们终于到外景地去了，但听说拍完戏后还要回来，而且还听说厂里准备投拍的下一

部又是武打片。楼里残留的汗臭味时隐时现，我感到在这个混乱的环境下我会一个字都写不出来，睡眠不好，基本的生活难以保证，长期下去，连身体都会跨掉。

我意识到，房子问题真的是关系到我的生死存亡。

就在这时，厂里新的一轮住房分配方案下来了，又一次没有我！我感到自己受到了愚弄。

电影厂地皮充足，当时经济效益甚好，房子盖了一幢又一幢，全厂职工人均住房面积是三十平米（不是三十就是五十，我记得不是很清楚了)，与德国人均住房面积持平，连工人在内，几乎人人都能分到房子，差别只是房子的大小和新旧。我刚从图书馆搬来的时候厂长说，你暂时住招待所，那边的宿舍楼马上就要封顶了，到时候，你们几个大学生，一人一套，两室一厅的。我顿时心花怒放，兴冲冲地住到招待所去了。

过了一段时间，新楼盖好了，却没有我的。我又去找厂长，厂长就住我的楼下，他的夫人是我的顶头上级，他的女儿是我的朋友，找他是一件很容易的事情，想躲也躲不掉。这次厂长说，新楼没有了，旧楼也可以嘛，从旧楼里分给你两室一厅就是。

我便回去等着。

却不料，旧楼转眼又没有了。

仍去找厂长，厂长说，某处一楼有一套一室一厅，虽然小点，也是不错的。如果实在分不过来，一定给你分一间最大的房间。

我想该说的话也都说过了，最后总该能分到一间房的吧。于是老实等着。

这时有明眼人告诉我，房子的事还要找分房小组长，又有人说分房小组长听厂长的，只要厂长说了话，他就不敢不分。还有人劝我给关键人物送送礼，也有人劝我不如找行政副厂长。

一片混乱，无所适从。狐疑之间真的有人搬进了那套许给我的一室一厅，而大房间最终也分给了别的人。分房的人说，你一个人，住在招待所也就可以了。

惊雷之下，大梦初醒，原来领导的一切承诺都是谎言。

我终于明白，自己分不到房子，根本的原因就是没有后台，没有势力和根基。现任领导觉得我是前任领导时来厂的，不是他的人，而分房小组的人个个都心明眼亮，洞若观火，加上我一没闹上吊，二没送礼物，明里没有招术，暗里没有计谋，在厂里又没有一伙人大造舆论，不过是一个没有什么用的书呆子，三言两语就能搪塞过去，完全不必放在眼里。

丢掉幻想，准备战斗。

这就是当时回荡在我心中的唯一声音，从来就没有什么救世主，全靠我们自己，《国际歌》的旋律开始从窗外的荒草丛中升起，就像一些绝望而坚强的人，站在了我的身后。

革命的激情就这样被彻底调动起来了，我开始有了无所畏惧的勇气。在庄严感倍增的夜晚，我对自己说，让他们把我抓起来吧，让他们把我关进监狱吧，我再一次想起了电影《青春之歌》和《在烈火中永生》，想起了歌剧《江姐》，我多希望他们真的把我送进监狱啊，我的生命将如闪电，发出耀眼的光辉。革命、勇气、监狱，这些字眼在夜晚完全被我戏剧化了，它们不再是生活中真实的样子，它们面目全非，拥挤在我的房间中，变成了熊熊烈火，照亮了我的脸，使我彻夜难眠。

到了白天，戏剧感消失了，真实的、像铁一样坚硬的生活出现在我的面前，它密不透风，冰冷，残酷，像一台巨大的机器，在它面前，我只是一只蚂蚁。没有任何朋友可以帮我的忙，只有我自己，我将去撬开别人的房间，自己搬进去。

这使我觉得自己像一个无赖。

但当无赖的时刻的确是来到了，在夜晚，我鼓励自己当一个革命者，在真实的白天，一切物质性的东西历历在目，我不得不鼓励自己当一个无赖。这时候，我觉得王朔的语录最亲切，我是流氓我怕谁！无产者失去的只有锁链。像我这样一个一无所有的人，正适合当一个无赖流氓。

我既要当革命者又要当无赖，这两者在我身上合二为一，这使我既坚定无畏，又胆大妄为。一个新的林蛛蛛就诞生了！

我要去撬的房间也在灰楼里，是我原住房的对门，是一套四室一厅里的一个最大的房间，大概有三十平米，也算是招待所的。当时正住着一对夫妻，男的姓周，女的姓罗，江西人。据说是厂长夫人的亲信，在海南办公司，到南宁来是为了拍一部电视剧，可能还有些别的生意，他们长住厂里，但常常好几天看不到人，过几天又重新出现了，再过几天又走了。我觉得既然他们不是厂里的职工，又不天天住，完全可以搬到旁边的一个房间去。

这套房子还住着两个人，一个姓胡，一个姓肖，是老周从江西带过来写剧本的，都是讲道理的文人，他们每天都在。我要在他们的眼皮底下把老周的房间撬开搬进去。

现在看来，这真是太胆大妄为了！

换成今天，就是打死我也不敢这么做。认识我的人感叹说，林蛛蛛现在完全变了一个人。我知道，在九十年代我备受压抑，多方敌意和白眼，恶毒的人身攻击和污泥浊水，这使我每天出门就谨小慎微，到最后，真的变得胆小如鼠了。在我的小说里，曾经出现一个长年穿着灰衣的女人像老鼠一样生活，她害怕人类，甚至希望自己的女儿也变成一只老鼠。这是一部令人心痛的小说，但却是我心情的真实写照。

我多想回到天堂般的八十年代啊！

让我再撬一次别人的房间吧，让我当一个无赖、当一个流氓吧！我宁可当一个无赖也不要当一只老鼠。当无赖需要内心的力量，而这种特殊的力量现在已经完全消失了。

我首先看到的是那只大铁锁，它有一只拳头那么大，拿在手上好像有四五斤重（我对重量缺乏应有的概念，何况还是在记忆中，数字不准确是肯定的），看到这样的锁我脑子里一片迷茫，我完全不记得自己是怎样撬开这样的锁的了。

难道我是大力士吗？

难道我是孙悟空吗？

如果我是大力士，我便可以一把拧断锁挂，如果我是孙悟空，只需吹一口气就是了。第三种做法是，借来一套特殊的工具，像一个技巧高超的小偷。

都不是。

铁锁在我的头脑里荡来荡去，我头疼欲裂。终于，我听到"喀嚓"一声，锁被钥匙打开了。我意识到，撬门入室不过是我的想象，我太喜欢我一生中唯一的一段无赖经历了，总认为那是我的英雄壮举，在记忆中就不免有了夸张的成分。

事实上我去要来了钥匙。

那天天黑之后我就去找招待所的负责人，就是打扫卫生，说男人住过的房间臭、女人住的房间香的那两位中的一个。我敲开了门，我劈头就对她说：你把408房间的钥匙给我用一下，我有急事要进去。

她说：不行的，出了问题我要负责的。

我说：我承担一切后果，跟你一点关系都没有。

她还是说不行。

我就不再说话。

我站在那里，意志坚定，头脑清醒，我目无表情地看着她，完全是一副视死如归的样子。我感到一股凛然之气从我的脚底上升，并迅速笼罩到她的头上。片刻，她低声说：好吧，我给你钥匙，领导问下来你要负全部责任。我说：这是肯定的。

拿到钥匙，我心里立即狂跳起来，这意味着此事成功了一半。这是最难的一关，没有钥匙我会什么都干不成。事先我对是否能拿到钥匙并没有把握，她完全可以不给我，我是一点道理都没有的。想不到会如此顺利，我想是我的气势占了上风。我极力镇定自己，告辞出门。下了楼，我才发现自己手心全是汗。

我回到房间，喝了一杯水，上了一次厕所，就决定行动了。

对面套间的大门虚掩着，一推就开了，第一第二个房间的房门都是半开，胡和肖分别在自己房间的桌子前看书。我把声音弄得很大，听到动静他们从房间里跑出来。我不等他们问，迎头就说：厂里分房不公平，我今天要搬到这里来，这是我自己的事，跟你们没有关系。

我看到他们往回抽了一口气，两人互相望望，肖说：这是老周的房间，你要等他回来。

我说：我不想等他回来，等他回来我就疯了。

他又说：这样不合适，老周回来看你怎么交待。

我说：反正我承担一切后果。说完之后我仍看着他们，等着他们往下说，好像并不是要跟他们论争，反倒是要与他们征询探讨一番，事实上我对这两个写剧本的人确有一种天然的信任。

他们却没有什么可说的了，于是各自回房看书。

这真是一个行动者的世界啊！

老周的房间是空的，几乎没有任何行李，只有三个抽屉上着锁。我把两边的大门用椅子顶着，一个人就开始搬家。

我先把箱子拎过来，再把桶和脸盆搬过来，我忽然觉得要擦一擦公家的木床，于是我又去找抹布。我想起一件就干一件，虽然杂乱无章，却是不慌不忙的，夜里十分安静，整层楼都没有别人，我像一只没有伙伴的小蚂蚁，要独自啃掉一根大骨头。

我有几件大件的东西：一只单门衣柜、一张书桌、一只很长的茶几、三只书架，我决定除衣柜先留下外，其余东西都自己搬。

书桌是一头沉，我把它放倒。

倒地的书桌变得像一头动物，我又拽又拖又推，一会儿跑到前面，一会儿又跑到后面，前后左右地忙，实在弄不动了就坐在上面喘口气，十足像一个生手对付一头脾气坏的大水牛，我觉得它比水牛还要难弄，我插队的时候曾经用牛犁过地，还耙过田，牛都是很听话的，叫它走，它就走，叫它停，它立马就停下来。书桌真是比牛差远了。

搬完了桌子搬茶几。

茶几像一只鹿，或一只山羊，它的脚又细又长，身体轻捷，我在前面牵着它的两条前腿，晃晃悠悠就走到了。书架也不难，我把上面的书腾空，我从图书馆搬来不到一年，搬家时捆的书还没拆，我一手一捆，书架很快就空了。

写到这里我疑心当时我在录音机里放着音乐，否则不会感到时间过得这么快。我当时仅有以下几盘盒带：老柴的《悲怆》，贝多芬的第三、第六、第九交响曲，这是南宁最容易买到的交响曲盒带，当年我自命高雅，从来不买流行音乐带子。如此看来，我很可能放的就是"贝九"，这跟库布里克的《发条橘子》简直太像了！

在雄伟庄严的"贝九"中，我像拖死猪一样把三匹书架拖到了408房间。然后我就来回穿梭搬我的书，全部书加起来大概是七八十捆，我一趟拎两捆，来回走了有四五十趟。

全部运完的时候已经一点半了，我匆匆洗了个澡就上床，在新搬的房间里一觉睡到天亮。

到了第二天，和胡、肖二人见了面，他们说等老周回来再说吧。我问他们老周什么时候回来，他们也不知道。招待所那边也没说什么。

于是一切如常。

这样过了有六七天，我心理上已经完全松弛下来，感觉上好像我住的就是自己的房子。

就在这个时候，真正严峻的时刻到来了。老周夫妇外出归来，一到厂大门，立即就有人通风报信，说他们的房间被林蛛蛛占了，于是两人当机立断，老周去找厂领导，老罗一路发着火冲回来。

老周矿工出身，从社会底层奋斗上来，他长着一双狼眼，外形既狡猾又坚韧，富有力度，一看就是那种在血水里泡过三遍，在盐水里煮过三遍的人物，闯荡江湖多年，什么场面都经历过，我完全不是他的对手。

下午四点多钟，我正在房间里写信，忽然大门吭的一下，老罗一阵风冲了进来，风在她的身体里呼呼乱窜，她的头发就像着了火，她整个人都在往上跳跃，每说一句话就跳一跳，她的话连成了一片，整座房子的空气都在往上揪。

她喊道：太过分了！

她又喊道：我有十几万块钱的发票在里面！

她喊：真没见过你这样的人！

她又重复喊：十几万……不像话……后果自负……没见过……

事到临头，我想不到自己居然能一点不慌，我镇定地搬出了两张椅子，请她坐下来说，她不坐，于是我在其中的一张椅子坐下来，我平静地听她说，在她不说的时候我才说。

我说：这事真的对不起你们，得罪了。

我又说：我心里一直很不安。

我说：实在是没有别的办法，厂里太不公平，看大门的都分上了房子就我没分到房子。

正说着老周就进来了，他身后是厂长助理张。

老周很生气，连走路的样子都是义愤填膺的走法。

我一见他立即就说：老周，我就等着挨你骂了。

老周不失尊严地说：你知道吗，你这样做很不尊重人。你有没有想到后果？

我说：我这人做事从来不计后果。

这时肖在旁边说：这种事只有林蛛蛛才敢做。

厂长助理张站在旁边，一言不发，还笑了笑。张是厂长从长春电影制片厂带来的，他跟文学界有联系，每个月都收到诗人曲有源从长春寄来的《作家》杂志。自始至终，他一言不发。

老周便自己说：厂里并没有同意你这样做。

我说：当然。

又僵持了一会儿。

忽然，老周从口袋里掏出了香烟，他抽出一根，递给我。

我一下感到十分意外，我茫然地接过烟，老周又打着了打火机送到我跟前，我点燃了烟，吸了一口，一时有些不知所措。

片刻，我才知道我该做什么。我给他们倒了两杯橘子汁，分别送到他们手上。事情便好像化解掉了。

事隔多年，我仍衷心地感谢老周，他虽然是矿工出身，

27

却有着绅士风度。幸亏我碰到的是他而不是别的什么人，假如我这样一个假无赖碰到一个真无赖，至于我会吃到什么样的苦头，那就只有天知道了。

第二章　男友们

我的男文友包括张尊、李管、张小东、梅逊等数人。

我程度不一地爱他们，在感情上有一种深深的依恋，如果有几天看不到他们我就要去找，不管出着大太阳还是下着雨，我会跑到他们住的大院去，站在楼下高声呼喊他们的名字（多么没有教养，多么不淑女啊！到现在我也不喜欢淑女，这种文明的果实，她们走路要踮着脚，坐着要挺胸收腹，说话要像蚂蚁，吃饭要像小鸟，在她们面前我会感到累），如果楼上没有人，我就会向邻居打听。

他们每个人的妻子都是全城公认的美人，在大学里是校花，在舞会上是皇后，都是十分带得出去的。在八十年代，所有的美人都愿意嫁给一名青年作家，那真是文学的黄金时代啊！即使十年过去，现在你们到南宁看看，他们的妻子还是风韵依旧，真正的美人是不会老的。当然她们都不是南宁本地人，南宁是不出美人的，广西的美人大多数来自桂林，或者祖籍江苏。

只有李管至今未婚。

李的问题是在他很年轻的时候就挑花了眼，他当年的名气实在是太大了，以至于桂林的文学青年以讲他的坏话为荣，讲了他的坏话，就说明跟他很熟，跟李管相熟就是一种荣耀。跟李管谈恋爱则是更大的荣耀。

当年我对李管有一点好感。我对所有有才华的人都有一点好感，包括达利和布努艾尔。1985年的时候我和李管、张尊、梅逊、鲍小松等四人同考广西电影制片厂文学部，他们前面三个人的考试方式是每人写一个电影剧本，我和鲍小松则是对这些剧本进行评价，指出优缺点，并提出一个修改方案。结果我和鲍小松最后都顺利过关，调进了电影厂，他们三人则全军覆没。

在1985年冬天，形势尚未明朗，每个人看上去都有希望。当时的文学部主任陈敦德雄心勃勃，开了一个电影研讨会，请来了北京的专家，专家带来了内部片，有《金色池塘》《恋人曲》《头回出嫁》《列宁在巴黎》《奇怪的女人》《命运的嘲弄》，看完了电影又讲课，讲完了课还出去采风。

陈主任为了培养我们，把我们五个人全带上了。一路车开到广西的最西端隆林，去看苗族的女孩和土特产，又看红水河上游的天生桥水电站，还去看了红七军军部旧址。

李管就是在天生桥水电站的隧道里说我的名字像交际花的。

一边是怪头怪脑的美国掘进机，一边是闪着铁光的巨大管道，隧道里吊着电灯泡，鼻子里全是泥土的腥气，按说这样的环境应该首先想到战壕、防空洞、苏联片《战地浪漫曲》才合道理，但他环顾四周后忽然说：林白薇，你的名字太像一个交际花了，陈白露、林白薇。这截隧道里只有我和他两人，没有别的人听见，但电影《日出》里陈白露的棺材给我留下了深刻的印象，即使没有人听见，我也十分生气。

我立即回敬了他一句：交际花也不错，比唐朝美人好。

说完之后我十分痛快。

"唐朝美人"是李管的敌人奉送给他的雅号，李本人又白又胖，十分忌讳这个说法。我拾起这块石头一扔，正好中了李管的七寸，他向后一退，差点从管道上掉了下去（无危险）。

这时候有人给我们抢拍了一张照片。这幅照片被我放在北流老家，十年来已经忘得一干二净。去年我回北流，在一堆旧照片里看到了它，当时李管穿着一件短风衣，外面是米色，里子带领是大红，他穿在身上特别时髦，但他在照片上斜着身子，十分狼狈，我则穿着牛仔裤，上身是一件军绿色的毛衣，我头发蓬乱，两道眉毛是竖的，脸上亮得像金属的反光，头顶有一颗电灯泡，整个背景是黑的。

就是这么两个莫明其妙的人，看不出会有什么甜蜜的故事发生。

但是1998年10月在南宁，在我到达的当天晚上，张尊在明园咖啡厅约我喝咖啡，他看见我的第一句话就是 你当年有没有可能跟李管结婚？

我觉得这是一句奇怪的问话，我跟李管从来没有闹过什么风流韵事，也没有谈过一分钟的恋爱，结婚这么大的事情从何谈起？

我不动声色地答道 如果发展一下，还是很有可能的。

张尊比我还要不动声色地说 告诉你吧，如果你跟他结了婚，现在已经离了十年了。

我不知道他是指责我离婚成性，还是认为李管实在太不适合我了。过了一会我才明白，李管从珠海给张尊打电话，说我从桂林机场往珠海给他打长途电话说了有足足半个小时。我这个人很少主动给别人打电话，何况是长途，又何况是男的，而且是半个小时，张尊觉得我有一点不良倾向，作为朋友，他有责任将危险扼杀在摇篮里。

（关于打电话的事情是这样的：我1998年10月到西安签名售书，结束之后直接回广西老家看母亲，因西安没有直飞南宁的飞机，需要在桂林转机。我那天上午十点半到桂林，下午两点半才有到南宁的飞机，在桂林机场足足停留了四个小时，我给桂林、南宁两地的朋友都打了电话，偏偏张尊的电话打不通，这才又给李管打电话，结果一聊就是半小时。在电话里我问起了李管的婚姻，他说有一次几乎就要登记了，结果还是没登。）

张尊是我最好的朋友之一，他的名字使我感到温暖和亲切。

当年我和另外一名女作者Y以及李管三人一起去见陈敦德面试，张尊反复告诫我一定要穿上自己最好看的衣服，一定要打扮得漂亮一点。因为Y出身名门，人又漂亮，而且已是省报文艺部记者，见多识广，而我不过是一名图书馆员。张担心Y把我压倒。

结果那天我状态特别好，完全超常发挥。Y反倒感到压抑，无论谈什么话题（主要是电影和小说两大话题，电影谈的是科波拉的《现代启示录》，小说谈的是莫言的《红高粱》），Y一概不开口，后来她就先走了。

到了第二天，我去看张尊，他说听李管说我昨晚表现很出色，压抑了Y，他说："就是要这样。"他又说昨晚问李管你穿什么衣服他根本说不清楚，然后问我：你是不是穿这条裙子？我说不是，就是穿了一条牛仔裤。

张尊说，像你这么不爱打扮的人是很容易丢分的，因为陈敦德认为文学部的人走出去要十分醒目，十分带劲。

现在事情已经过去十五年了，每当我回想当年的调动，首先听到的总是张尊的声音：你是不是穿这条裙子？他是山东人，在桂林长大，当过多年话剧演员，能讲一口十分标准的普通话。

他的声音从我的桌子那边飘来，当年的一切已不复存在。

一只电影虫子要到一张巨大的叶子上去了，这张叶子就叫电影厂，它的筋络无边无际，它的汁液源源不断，一辈子也吃不完。这是一件多么高兴的事情啊！张尊关照我穿漂亮衣服的声音犹如一个渐渐敞开的进口，它透着光，往昔岁月的丰绕枝叶在光中摇曳，在初夏的绿色中，我再一次看到了1985年的自己。

林蛛蛛，又黑又瘦，扎着两根短辫，额头上有一排留海，衣着随便，喜欢把衬衣束在裤腰里，有一种中性（或偏男性）趣味，用诗人杨克（杨现在广州，1999年主编了一本《1998中国新诗年鉴》，花城出版社出版）的话说就是：林蛛蛛是那种在人群里一下就被淹没的人。

女人很容易因为意识到自己不好看，或衣服太土、发型不时髦而缺乏自信，这种情况太普遍了，只要有一个男人在场，所有的女人就会用这个男人的目光来挑剔自己，平添许多压抑和不自在，空气中就是这样渐渐积存了越来越多的男人的眼睛，即使没有男人在场，女人们也会无意识地感到这些眼光，这些场。

在我年轻的时候，我几乎没有感到过来自相貌、衣服

34

方面的压抑，这并不是因为我得到了某种先进理论的武装，思想超前，而是因为我经常意识不到自己是女性。

我不知道怎么会是这样。

我喜欢男友们的妻子。

我爱她们。她们的友好使我感到，即使我每天去找她们的丈夫，也不会有什么问题。在深夜的黑暗里，即使只有我和某一个男友，即使房门紧闭，即使百米之内，四周无人，也不会有任何事情发生。

深夜十二点，百米之内，四周无人的地方是什么地方呢？是否狐仙出没，荒草丛生。荒草丛生是我十分熟悉的一个环境，各种草在我的身后像动画那样抽条拔节，东扭扭西扭扭，姿势略有一点夸张，一扭二扭三扭，它们的叶子就从墙脚长到了我的窗口，有细小锯齿的锋利的长叶子，有毛绒绒的椭圆形叶子，还有一种藤本植物，它的叶子是一种薄而易破的心形，它们拥挤着攀升到我的后窗，窗上钉了两层五金厂的下角料铁皮，那上面有一排排整齐的圆洞，就像刻意做成的图案。浓郁的铁腥味和新鲜的草腥味终日缭绕，那是我多年前居住过的平房。

当时的图书馆在公园里，我住的平房在园子的最深处，那里尚未开发，荒凉的后山，树深草高，人迹罕至，有时候会像电影一样发生刑事案件，在离我的房子二百米的地方，在几株栀子花树底下，曾经发现过一个死去的女人，她穿着一件粉红色的上衣，脚上是一双棕色的塑料凉鞋。

那天晚上陈让我们几个人去电影厂看内部片，是两部美国电影，散场之后已经十二点过了，张尊决定送我。

我们骑着车，从电影厂所在的北郊穿越大半个南宁回到公园。我从来没有看到过深夜的公园，我经常在晚上出门，但十点以前就回来，这时候还有路灯，路旁的长椅上还有相拥的恋人。我骑在车上，以最快的速度冲到宿舍的后门。后门没有灯，两旁都是树丛，我经常担心在我下车之后，还没来得及开门背后就会跳出一条黑影，把我的嘴捂着拖到树林里。每次我在掏钥匙的时候心都是提起来的，如果我高度紧张的神经听到某种细微的声音，我就会在进门之后以闪电的速度关上门，而把我的自行车扔在门口外面。我的车就是这样无数次地经受风吹雨淋，变成全南宁最锈最破最脏的车。有两类嘲笑我的话是这样说的，"嘀，这车真革命！"另一类是"人跟车差太远了！"说这话的都是星期天上公园玩的年轻人，他们三五成群，我更多的时候会认为他们是一种夸奖。如果我是一个男孩，看到一个年轻女人骑着一辆全南宁最破的车，我也会由衷地指出事情的不公平。同时我还会想到，这个年轻女人八成没有男朋友。

事实确是如此，张尊是我的朋友，但不是恋人，他出于关心朋友的天性，在深夜十二点把我送回家。他在我的身旁，但我一点都看不见他，全部路灯都熄灭了，连自己都看不见自己，我们只好推着车走，这就像闭着眼睛走路一样，即使知道前面是平整的路，也会凭空觉得有坑或有石头，闭着眼睛只能坚持三秒钟，到第四秒就吓得赶紧睁开眼。倒退着走路也是，退两三步就忍不住回头看看，总觉得要掉进坑里。我们对自己看不到的地方总是有着过分的怀疑。

我是一个经受过锻炼的人，在幼年时就独自对付过各种黑暗。在我成年后我发现，大多数女性都不适应在完全黑暗的屋子里睡觉，她们要彻夜开着走廊灯或地灯，如果这些灯都没有，她们则要开着卫生间的灯，然后把门开着，让卫生间的灯光反射到房间里。

所有的女人都担心在黑暗中有一条黑影扑到自己身上。在我们的感官中黑暗是有重量的，它跟随我们的惊恐程度在一瞬间加重，又在另一瞬间变松弛，它是我们身体深处的神经的延伸物。它的形状和质地，完全是我们在某个时候赋予的。有多少内心的尖叫，就有多少黑暗的千锤百炼。

那天晚上是千锤百炼中最重的一锤。我从未经历过这样的黑暗，最黑的黑都会有一点微弱的光，或者是远处的灯，或者是云层缝隙的星光，它会使我们在浓黑中看见自己的手。那晚的黑暗吞没了一切，那么厚的云层，那么浓密的树冠，那么深的深夜，上下左右，完全没有了方向感，好像飘浮在深渊之中，而每迈出一步，又会掉进更深的深渊。

我每走一步，就叫一声张尊的名字，他答应的声音就像溪流中凸出水面的石头，我小心地踩着它们往前走。走了几步之后，他在答应我的同时按响他的车铃，铃声一圈又一圈地碰到我的身体，然后落到地上成为石头之间的细沙，深渊不见了，道路重新变成了庭园里的甬道。走了有十几分钟，就到了我宿舍的后门，他站在旁边，看我进了门才走。

这段深夜的道路在多年以后还能把我吓出一身冷汗。多年以后，我还常常看见自己独自一人在深夜十二点穿过南宁空寂的大街，我草木皆兵，全身浸泡在冷汗中，惊恐万状地往前赶路，当我走进公园大门，才知道我再咬牙、再硬着头皮，我也不可能越过这片黑暗的万丈深渊。

为了这一个夜晚，我将永远感谢张尊。

当年我喜欢一种没有性别意识的气氛。

我对他们的感情是不是一种兄弟般的感情呢？如果置身于电影《战火中的青春》，我就是那个高山，我把我的辫子剪掉，推成寸头，我只在一面破镜里看一眼就不看了。然后，炮火连天，下着大雪，为了救出排长雷振林，那个个人英雄主义者，我冒着危险冲到磨房，在熊熊烈火中大声喊道：排长——排长——火光映在我的脸上，我的额头和脸颊各有一块土印，这使我的双眸看起来更加明亮。雷振林当时正躲在磨盘底下，我拉起他就往外跑，在一堵墙跟前，我托着他先翻，然后我翻，一颗子弹打中了我的大腿。后来在行军中，雷振林把我背着走，我的脑门和他的脑门都渗出了豆大的汗珠。

我怕暴露自己的女性身份，死活都不肯动手术。那个大夫戴着眼镜，脸瘦而多皱，有点像白求恩，加拿大共产党员，不远万里来到中国。到最后，我留起了齐耳短发，出现在欢送队伍中，我排里的战友们头戴树叶，肩扛机枪（刚刚缴获的），从我的面前经过。雷振林，他来了，送给我一把指挥刀。多带劲啊，从敌人手里缴获的、真正的指挥刀！我最喜欢这样的礼物，它是我的魔杖，向上一挥，千军迸发，万马奔腾，排山倒海的巨浪，马蹄扬起的飞尘。我喜欢《战火中的青春》这个片名，我既喜欢战火（必须是电影中的，虚拟的，我爱好和平，但我更喜欢极端状态下的激情）又喜欢青春，战火中的青春是浓缩的青春，炮火连天，一日等于百年，坚硬如铁。

《战火中的青春》是1959年摄制的片子，我不可能进入其中。在和平的八十年代，我把诗歌当成战火，从人民公园到南宁剧场就是我的行军路线。

南宁剧场是一个特别遥远的地方，要穿过拥挤的闹市和邕江大桥，并不是一个散步的好去处，我为什么要到那里去呢？我走进剧场大门，那里寂静无人，当时剧场很少有戏演，常年累月都是空的。我往左拐，穿过好几条种着冬青树的小径，一直绕到剧场的后院，那里有一幢宿舍楼，张小东的家就在楼上。

那时候我大学毕业有一两年了，写诗，尚未认识李、张、梅他们，张小东和他的朋友们是我当时的诗友，他们都是工人，没有上过大学，我们谁也不知道有里尔克、艾略特、庞德、叶芝、茨维塔耶娃、帕斯捷尔纳克、塞尔维亚·普拉斯，我们只看流行杂志上的诗，《青春》《萌芽》《丑小鸭》《青年文学》《青年作家》，谈论的是柯平、于坚、李钢，《年轻的布尔什维克》《蓝水兵》，这些就是我们的范本。它们一旦在杂志上出现，就犹如一发重磅炮弹落下，发出绚丽的火光和震耳的声响，我们几个人就像看见了信号，不顾一切地从城市的不同方向奔向对方，然后喘着气谈论各自对这些新诗的感受，就像在战地上重逢，看见了自己幸存的战友。

如果看不到他们，我就会丧魂落魄，好像在战后的废墟中只活下来我一个人。

那个春天，一下子暖得只用穿两件衣服，身体变得十分轻，空气湿润，微风柔和，春天的气息像水一下就浸泡了全身的所有毛孔，春风沉醉的夜晚大概就是这样的。我房间的后窗有许多虫子的叫声，植物的气息也比往常更浓郁，这天正好是我的生日，我不愿意在这样一个晚上独自在家看书写字。我推出自行车，一口气穿过市区和邕江大桥，来到南宁剧场。

我不知道为什么要急于找到张小东，我只知道我必须找到他，这是十分重要的一件事，至于找到他干什么，我连想都没有想。

我一路到了他的家，抬头一看，他的母亲正站在门口，她又瘦又小，手里拿着饭盒，看样子是刚下班。我说我要找张小东。她说小东不在。我感到有点突然，好像他根本不应该不在，既然我每次来找他都在，这次他也同样应该在。

我十分失望，对他母亲说，我是小东写诗的朋友，找他没什么事。说完就原路回家了。

我回到宿舍，刚拉亮灯，就听见过道有自行车的声音，一抬头，正好看到张小东站在我的窗口，我房间里的黄色灯光洒了他一身。

我吃惊极了。

只一会儿，小东就放好了车，一低头进了屋。他说听家里人说我来找他，就一路飞车过来了。我说没什么事，今天是我生日，特别想找人说说话。

然后就开始说话。但没有像以前那样谈诗，而是说起了他以前的一个女诗友，他说她很喜欢他，但她已经有丈夫了，他对她说，你这样不行，要么你就离婚，离了婚我可以跟你好，不离婚不行。这个女友是一个司机，后来调到湖南湘潭她丈夫身边去了。

我觉得张小东讲的故事是有意味的，那些话也是说给我听的。

当时我在外地有一个维持了好几年关系的恋人，我们有同居关系，这朋友们都知道。而张小东是一个有原则的人，这原则跟现在很不一样。

在后来的日子里，我跟张小东已经没有任何联系了，他早已不写诗，任何地方都看不见他，谁也不知道他干什么去了，他无声无息就消失了。而我不断地认识了新的朋友，出了一本薄薄的诗集，又在《人民文学》（1986年5月）和《上海文学》（1987年10月）发表了小说，这些成绩在九十年代什么都不是，但在八十年代却是骄傲的资本。我春风得意，每天骑着自行车在大街上游逛。

有一个星期天的下午，我在民生电影院对面的一个服装摊上看见了张小东。

那天我去看苏联片《白痴》，我买好了票，时间还早，就随便转转。我看到街道对面有一个衣服摊子，就一头赶过去。当时是下午三点多钟，摊子刚刚开张，地上铺着塑料布，衣服堆着，还没摆开，摊主背对着我，正往墙上的铁线上挂衣服，他人很高，毫不费力就挂完了，当他转过身的时候我吃惊地发现，这摊主竟是张小东。

张小东所干的事在八十年代叫"个体摊贩"，属于不太有身份的那种。我们在这种地方重逢，双方都一愣。片刻之后我说：小东，原来你做生意了，怪不得大家都找不到你。我强调说：这样也挺好的。

这时我重新打量他的摊点，我发现这并不是一个很理想的地方，这是两幢房子之间的空地，很窄，只够摆一个摊，顶上没有屋檐，如果下雨，就会淋着，如果是晴天，则一点遮荫的地方都没有。

我便问：这个点是随便选的吗？

小东却说起了他的另一个摊点。他说他在星湖电影院对面的商场里还租了一个摊位。星湖电影院是我经常去的地方，对面的商场有时我一周要逛上五遍，我对它就像对自己的脸一样熟悉，我在那里面买过鞋、袜、内衣和裙子，还买过粉饼（当时我用的粉饼叫美国一号，在南宁比较时髦，是高厂长的女儿推荐的）。我说：哎呀，我经常去星湖，一次都没碰到过你。他说他雇了一个女孩看摊，平时他一般不去。

我又说，那里的货不错，朝阳百货公司（这是全南宁最大的百货公司）都没有卖的。小东说那都是从广州进的货，广州的货又是从香港过来的。

我忽然想起我在那里看到的一套羊毛冬裙，乳白色，款式很雅致，我十分喜欢，但是要三百元，太贵了，我最后也没下决心买下来。我一提起，小东马上说那就是他的摊点，是他从广州进来的货，如果他当时在，两百元就可以给我，这是进货时的价。

我们匆匆聊了几句，我始终没问他还写不写诗，我想肯定是不写了。

又过了一年多，在这一年里我出了两次差，一次去广州，一次去北京，北京去了有三个月，回来不久又从图书馆宿舍搬到了电影厂的招待所，我很少到星湖电影院去了，厂里每周都放两部以上电影，有时我也到外面看，一般都是就近上地区礼堂看，如果不是特别无聊，我是不会长途跋涉跑到星湖电影院了。

有一天，我在报纸上看到中央芭蕾舞团到南宁演出全剧《天鹅湖》，这对我来说，真是一声晴天霹雳。

中央芭蕾舞团，它是我心中的闪电，电光之下，站着我的少女时代。《红色娘子军》，这部红色经典，一部深刻影响了我的芭蕾舞剧，它的旋律从报纸的消息上强劲地扫荡过来，我能背出序幕和第一场的谱子，并且熟悉每一个人的出场和位置、转身与跳跃，从小学到高中，无数次从电影上观摩，无数次排练，无数次演出，薛菁华就是我十岁到二十岁的偶像，我热爱她的身体、舞姿和容貌，热爱她的红衣红裤，在黑沉沉的椰林里奋力向上一跃（这是我使用频率最高的词和句子，我还要让它在我的作品中出现一百次！）我热爱她两臂上的伤痕、她的长辫和短发、她的手枪（打了南霸天犯错误的）和银毫子（英俊的洪常青给的），而这一切，都珍藏在中央芭蕾舞团这个稀世的容器里。对我来说，中央芭蕾舞团就是《红色娘子军》，就是薛菁华，就是阴沉椰林中燃烧的红色火焰！

我不顾一切地要去看中央芭蕾舞团演出，当时我脑子里首先想的不是戏票，而是无论如何要看上戏，好像不是有票才能看上戏，而是看戏的决心越大越能看上戏。在这番看戏的意志中，翻墙、爬树、钻臭水沟等等古怪念头在我的脑袋里飞转，好像没有这些狂想就不够刺激。

我根本想不到，仅仅两年之后，我就到《中国文化报》新闻部当记者，我的同事兼朋友高放专跑音乐舞蹈口，她多次给我前排正中的好票看芭团的演出，在天桥剧场，我常常看到白淑湘，她或者在门口迎候贵宾，或者就坐在我的身后，我一回头就能看到她。所有的国家剧院都是文化部的下属单位，文化报存在的使命就是报导它们。我是一个热爱舞台的人，到北京来真是如鱼得水啊！将来总会有一天，我会另写一部关于舞台的书。

隔两年的事情跟隔一百年没有什么两样，对凡人来说它们都是密封的、无法穿透的，一点气息都不会飘过来。于是，我一头撞到了南宁剧场的铁栅栏跟前，这天跟以前不同，在铁栅栏跟前就进不去了，因为演《天鹅湖》，已经有人在把守。翻栅栏是可以的，但翻进去没有任何用，剧场是四面封顶的建筑，除了门口，连一根针的缝隙都没有。

在铁的事实面前，我满脑子混和着《红色娘子军》的种种狂想像火焰一样一一熄灭了。这时候我才忽然想起了张小东。

我绕到后门，穿过冬青树，很快来到张小东的家。我差不多有四五年没去过他家了，一敲门，马上就开了，是小东本人。这使我们双方都有些猝不及防，我本以为他已搬家，开门的一定是个陌生人。

接下来，我们同时说了一句：真想不到！

进屋之后我才想起曾经听谁说过，张小东几年前结婚了，妻子是柳州的美女，是一家宾馆的服务员，特别喜欢文学。几年前张小东到柳州开诗歌会，住在她所在的宾馆，柳州的诗歌爱好者成群结队地到宾馆看他，当时的女孩子都崇拜诗人，他的妻子不顾家人反对，辞了柳州的工作，跟小东来到南宁，一直没有正式职业。

她从里屋迎出来，抱着一个两岁左右的女孩，她明显憔悴，衣服也有些拖泥带水的，跟我想象中的柳州美人完全不是一码事。她看见我有些欢喜，说早就听小东说过，今天才见着。我便拼命夸他们的孩子，夸了一会儿我想起来问小东的母亲，他说他母亲到剧场门口卖炒田螺去了，每天都去，下午就开始在家里炒田螺，五点吃饭，一般到八点多才能回来。他妻子很贤惠，连说是她拖累了小东。

一切都使人心情沉重，看戏的事情也就无从说起。

我正不知道该坐下去还是该告辞，小东就问：你不是专门来的吧，有没有什么事要找我？

我立即说，我太想看《天鹅湖》了，没有票。我想既然到了这里，就来看看你，如果你能带我进去就再好不过了，若进不去，我也就死心了。

小东沉吟了一下，转身进里屋拿出了一张票，他说：只有一张，是前座五排的，你拿去看吧。我大喜过望，接过票，一时不知说什么好。小东说：你什么都不要说了，赶快去吧，还有五分钟就开演了。

我拿着票，飞奔下楼，冲到剧场，刚刚在前排正中的位置上坐下，大幕就拉开了。微蓝的雾气从台上弥漫下来，洁白的天鹅轻盈地浮动在湖面上，散发出一种令人心疼的惊世之美。

我完全忘记了张小东。

此后我再也没去找过张小东，没有过任何形式的联系。我就这样突然而去，突然而走，空着手，没给他的女儿买任何礼物，却从他的家庭掠走了一张珍贵的《天鹅湖》的入场票，我真是太不像话了！但我当时竟一点都不自知，毫无内疚的感觉，心里只有《天鹅湖》，在看过戏之后，我竟把这件事忘了，多年来一次都没有想起过。

直到昨天，昨天是五月一日，我得到一张票去北京展览馆剧场观看英国皇家芭蕾舞团演出的全剧《罗密欧与朱丽叶》，在大幕启开的那一瞬间，我忽然想起了十年前的张小东和《天鹅湖》。尽管眼前是国际一流的精湛艺术，由号称"芭蕾女皇"的希尔薇·圭勒姆主演，是无与伦比的罗密欧与朱丽叶，但十年前的天鹅还是不断涌到我的面前，它们伤怀哀恸，携带着逝去的往昔岁月，一步一泣。我泪眼朦朦地凝望它们，不知身在何处。

由于我个人的原因，与英国皇家芭蕾舞团相比，我更热爱中央芭蕾舞团；与《罗密欧与朱丽叶》相比，我更爱《天鹅湖》。艺术短暂，而生命的伤怀久长。

第三章　西园的风花雪月

泽宁有点像《东游记》里的上仙吕洞宾。

我猜想我的读者中看过这部电视连续剧的人不多，也许一个都没有。

《东游记》是一部由大陆、台湾、新加坡三地演员联手的神怪片，说的是八仙归位大战妖怪的故事，除了八仙，还有孙悟空、二郎神、太上老君、王母娘娘、玉皇大帝、观音、如来佛，又有东海龙王，又有阎王，又有大小妖怪，人参精、椿树精、穿山甲，还有韩愈（他是韩湘子的叔叔），真是人神鬼妖动物植物样样齐全，一飞飞到天庭，一下下到地府，还有使人灰飞烟灭的天地之极，东海里的深海龙宫，这边刚刚历尽磨难成了仙（也有人成仙比较容易，如蓝采和，因他前世帮过孙悟空的忙，孙悟空送他五百年功力他就成了仙，韩湘子则最难，经历了七七四十九天的五雷轰顶，又被一万个鬼咬死，死后才转世成了韩湘子），那边却又中了血咒，血咒好不容易解掉了，却被吸到了众仙身上，中了血咒的神仙毛病百出，帮着妖魔打自己人，又有千年情劫，三角恋爱，真是热闹非凡，完全是中华民族几千年神怪文化的浓缩。

不料到了结尾竟出来一个川端康成式的画面，穿山甲（这时他的功力已到了顶级，只有如来佛能处死他）冒死上天去救何仙姑，结果何还是不爱他，穿山甲用一只尖螺旋纹的铁器（铁器里曾经装着他的灵魂）自刺身亡，在他消失的地方出现了一只黑黄相间的布质华盖，依依飘动，跟随着美人何仙姑。场面优美缓慢，凄艳哀绝，令人心碎。

这一画面使我爱上了《东游记》。

以我所受的教育和天性，我对打斗言情神怪深恶痛绝，一见刀飞棒打我就头晕，会在一秒钟之内换台，但我的女儿却喜欢。

（这除了说明她比我更有生命活力之外，我怀疑是我的一次疏忽造成的。有一次报社分给我两张电影票，放映地点是中山公园音乐堂。当时正是春天，我的女儿一岁半，我觉得正好可以带她到中山公园看玉兰花，当我们把玉兰花瓣拾满两个口袋之后就到音乐堂去。上映的却是香港武打片，本来我马上就要退出，但我的女儿却瞪大着眼睛，脸上露出惊奇的神情。只好让她看了几分钟，从此不管何时何地，只要一提起电影，我女儿就抢着说：我知道，电影就是很多叔叔阿姨打架。这种误解延续至今。）

《东游记》在北京电视台的红星剧场播出，每天晚上从七点半播到九点半，而我的女儿每晚八点半必须上床睡觉，她临睡前总是一再叮嘱我，一定要替她看《东游记》，第二天讲给她听，不然她就不睡觉。

于是每天晚上八点半到九点半之间，我就老实坐在电视机跟前看这部神怪片，以便第二天回答"小人参精被谁吃掉的？""定山神针偷到没有？""何仙姑的灵魂从宝剑里出来了吗？"一类的问题。

我发现这里面有无限广阔的空间，能够开拓我女儿的想象力。我对我女儿今后的希望比较笼统，就是做一个健康快乐的人，如此看来，以神怪片作底，方向是正确的，日后她即使只能扫大街，与神仙同在，也会另有一番我们看不见的瑰丽。

现在《东游记》已经播完，我心里若有所失，但我昨天惊喜地发现，北京三台又在重播，时间变成了十点半到十二点半，我像一个吸毒上瘾的人一样，按捺不住，到时间又看上了。

但我怀疑自己不是要开拓想象空间，而是看上了吕洞宾。吕本是天上的东华真人，为了引导八仙归位，扫除妖魔，自愿下凡转世为吕洞宾，他在凡间重新修炼成仙，经历了千年情劫，最后终成正果。天上有一个牡丹仙子，是王母娘娘手下的一个小仙，专司看管蟠桃园，蟠桃三千年才能熟，熟了才能开一次蟠桃大会。牡丹仙子实在是太寂寞了，寂寞思凡，爱上了吕洞宾，为吕偷出定山神针，结果被打下凡间，三世为娼。

《东游记》里有不少这两人的离离合合，恩恩怨怨，吕洞宾作为男一号，总是在各种关键时刻飞来飞去，哪里有坏事就有他，哪里有好事也有他，他白衣飘飘，一身长袍雪白宽大，一头长发垂到腰，真是英俊飘逸。

我喜欢电影里的男主角的时候很少，除了《乱世佳人》里的白瑞德，我一时还想不起来有谁。总之在深夜里观看吕洞宾这件事使我感到有些奇怪，最后我才明白，他跟我多年前的某一位男友有几分相像。

这个男友就是泽宁。

泽宁像神怪片里的人物那样白光一闪就出现在了我的

眼前，但他没有齐腰长发，如果有，他就是一个疯子。

当时他理的是寸头，风格上有点冷硬，不像一个搞艺术的人。八十年代的美术界青年不是剃光头就是披肩长发，而且统统穿黑色T恤，到中央美院一看，完全是一个光头黑衣党的世界，每个人长的都是一个样，不是十胞胎就是九胞胎，毫无个性，只有出了大门，他们才能从黑衣制服里复活，在头顶上闪出一点明晃晃的个性来。

泽宁没有上过正规的美院，只上过师范学院的艺术系，听起来真是要多土就有多土，但他却经常口出狂言，认为北京最土，是一个大农村，全国的城市里只有上海勉强算一个城市，广西人比较喜欢说香港，他就说香港不过是一个自由市场，杂货铺。不过这些话都是在我们很熟之后说的。

这些话使我感到一个人对世界的敌意。

但我当时并不这样认为，反倒觉得此人甚有趣。

那次集体去广州看苏联电影回顾展，坐大巴来回折腾，时间漫长，路途遥远，我一心盼望出现一个有趣的人，结果泽宁就出现了。泽宁是厂里的美工，虽是美工，却不积极争取上戏进组，反倒喜欢写影评，尤其擅长批判，无论是欧美片还是台港片，经他一评，立即就五马分尸，体无完肤。

据说他也写小说，但从未发过。从广州回来后，他积极要求调进文学部，我们此后便成为了同事。

有关王泽宁，我觉得还是要从头说起。

某一日，在广州黄花岗住地，吃过了早饭，我们几人七零八落地走在冬青树的甬道上（该住地有点像宾馆，吃

饭分好几号餐厅），泽宁问我 林蛛蛛，今天你去哪？我说
去看潘玉良画展。泽宁说：一块去吧。我说：好！

当时我还不知道泽宁是否有趣，这一点对我比较重要，
因为我本身就是一个不甚有趣的人，再跟一个不好玩的人
呆着，肯定就会连连打呵欠。

但在一个陌生的城市里，认路比有趣更重要，我有一
个屡教不改的毛病，就是永远不认路。因此，一听泽宁说跟
我一块去看画展，我的第一反应就是：这下不用发愁认路
了！

（在南宁的时候，我常常到文化大院去，结果有一次竟
在院子里迷了路，急出满头大汗还转不出来。到了北京，住
在东四十条，到雍和宫旁边的戏楼胡同上班，骑车最多只
需二十分钟，但每次只能走北新桥的街道，如果有一次走
了胡同，一定就会在胡同里迷上四五十分钟，然后出现在
东直门大街上，看过门牌号码，确认是东直门大街之后，才
能找到雍和宫，已经试了两三遍，每次都是这样。）

我的脸上绽开了欢欣的笑容，就像一朵盛开的鸡蛋花，
既纯洁又由衷。

我们到了中山四路，一看休馆，就决定就近去广州图
书馆看我的大学同学，大学同学还在等签证去法国里昂，等
得愁眉苦脸的。看过了同学出来，我掏出了地图，决定去六
榕寺和光孝寺。

光孝寺里很安静。

我想起一个新近成为佛教徒的朋友说过的话，他说：
佛教是所有宗教里最高级的，现代派根本不行（八十年代
青年不论谈什么都要扯上现代派）。我觉得这个话题比较有

52

趣，就问泽宁：佛教高级还是基督教高级？问过之后我又感到有点抱歉，觉得这样的问题实在是为难了本厂的美工，有点过分。

不料泽宁却是水来土挡，不加思考就说出了一套又一套的，让我觉得他特别有道理。

接着他就说起了《圣经》，他两岁的时候曾经背《圣经》得过奖，当时是在上海。他五岁时全家才从上海迁到广西，他父亲曾经留学德国，是心脑血管专家，母亲毕业于金陵女子大学，他曾祖父的岳父是中国第一代传教士。

我觉得这些东西甚奇怪，像一些看不见的饰物，挂在了泽宁的前胸后背，东闪一下，西又闪一下，使泽宁看起来像稀有动物一样新奇。

他真的像稀有动物，只有在上海这样殖民化了的城市才会产生，两岁就背《圣经》得奖，在广西打死也找不出第二个，在全国也不会有很多，最大胆的估计也不会奖一百个，全国的大熊猫还有三千余只，可见泽宁比大熊猫珍贵多了。

在后来我跟他谈恋爱的时候，我更多地把他当成一部百科全书。

在八十年代我崇尚知识，对动物缺乏兴趣，泽宁正好就是那种从小就看了很多书，对世界上所有的事情都知道了皮毛的人。

最令我吃惊的是当我告诉他我五岁就自慰的时候，他眼都不眨接口就说：我明白，那你是某某快感型的（某某快感是一科学用语，但它涉及了人体的隐秘部位，会让一些人看了受刺激，故以某某取代）。他又说：除了某某快感型

53

还有某某快感型,幼年期自慰的比率是多少万分之多少(现在我完全记不住了)。

这种从容的态度和精确的数字完全镇住了我,在我各个阶段的男友中,此前和此后,从未有任何一个人达到如此通透的程度,大多数人大吃一惊,感到不可思议不相信是真的,以为只是我的虚构。少数人则将信将疑。

第一次发生在深夜。

在深夜里我总是盼望有意外的事情发生,像戏剧一样冲突,又像戏剧一样发展。

一切如愿以偿,雨水从天上落下,花朵张开了花瓣。

某日晚上十二点,我们从明园酒吧喝了鲜桃汁出来,四周悄无声息,泽宁陪我一路骑车回图书馆宿舍(当时我尚未搬到电影厂招待所),明晃晃的月亮一路悬在我们的头顶,所以到了楼道就像到了地洞,一片漆黑。

我们像猫一样在黑暗中走上了四楼。

同住一个套间的学日语的女孩已经关门睡下,图书馆向来有早睡早起的好风气。此时已经是万物沉睡,我觉得开灯就像扔炸弹一样惊天动地。我把窗帘拉开得大大的,让满窗的月光漏进屋。

月光浓稠,质地优良。

我让泽宁坐在我的藤椅上,我坐在床沿上,我的脸对着窗口,月光和阴影在我脸上交替浮动,泽宁的脸则是一团深灰,在深灰之中又有两粒黑亮,那是他的眼睛。此外他脸上是什么表情则完全看不见。

在阴影中深灰说:蛛蛛……

54

时至今日，有关爱情的话我已经没有能力复述了，但它们在我的心里回荡，像雨燕般一阵阵飞过。

他的那番话真像蜂蜜啊!

又像鲜牛奶，

又像番石榴，

又像大白兔奶糖，总之像一切又香又甜的东西，我特别喜欢。

并不是谁都可以把爱情表达得这样动听的，有的人不敢说，有的人说得不够好，声音高低、语速快慢一不对，蜂蜜就会变酸。

而泽宁说出的话刚好像纯正的蜂蜜，它们从我的五官灌进去，站在我的心尖上，使我一时心惊胆颤，然后它们又从我的心尖出发，进入我的骨头，它们行走的速度刚够使我全身骨头酥麻。

我完全被麻住了，挣扎了好一会儿才说：我不想陷进去。但他说他已经陷进去了，他妻子也知道他陷进去了。我说我不需要情人。他柔声问道：你需要什么? 我说我需要丈夫。他说也许我会成为你的丈夫的。

我会使你满意的。

泽宁坚定无比的语气使我放下了心，我总是一开始的时候思想保守，到后来又特别解放。一开始的时候我总是说不想当情人，想结婚，到了最后却把别人晾到了一边。

泽宁的话一说到我的心坎上，蜂蜜立即上升成了蜂王浆。

你知道蜂王浆有什么用吗? 它有上百种活性营养成份，吃了能返老还童。不过听说蜂王浆一点都不好吃，又酸又涩又辣，作为万蜂之王，吃这样的东西真是让我匪夷所思。如果我有选择的自由，我一定首选蜂蜜。

蜂蜜在十年前就是叫做爱情的那种东西，或者是，有一种爱情叫做蜂蜜，它从泽宁的嘴里出来，涂到了林蛛蛛的皮肤上，又由泽宁吃回了肚子里。

万籁俱寂，窗帘高悬，月光奔涌，有一只虫子在吟唱。

林蛛蛛东扭扭西扭扭，吃下了无数好东西，这种吃下去的东西就是一种特制的蜂蜜，这使她成为了一只快乐的女虫子。

我不知道在更早的时候自己为什么没有发现泽宁，并且到最后跟他结婚，生上一个孩子，过上一生。

那段日子我好像心神不宁，被许多东西所萦绕着，情感上非常不明晰。在后来经历过数名男友之后，我把这一切都忘记了。我多年来都没有想到过他，也没想到过别人，就像一场大雨，把所有的火都浇灭了，只剩下辨认不清的灰烬，风吹过，连灰痕都留不下来。又像一场大火，把所有的东西都烧光。多年过去，泽宁的故事才慢慢浮出水面，但他的身影一直十分遥远，如果不是这部作品，总有一天，我会把我和他之间的事情忘得一干二净。

为什么我和泽宁的爱情没有使我铭心刻骨？

难道我就是这样一个没心没肺的人吗？

有关这段生活的记忆真是千头万绪，一片混乱。在一片混乱之中我想起了这个时期我还同时有两个恋人，这两个人与我不在同一个城市，他们一个在南方，一个在北方。他们真心爱我，南方要跟我结婚，他比我大十四岁，但他显得只比我大七八岁，他对这种年龄上的悬殊很在意，怕我受委屈，怕我被人说三道四，他希望我先跟我母亲说，如果我母亲能认可，事情就会好办一些。北方虽然未跟我论及婚嫁，但他感情的强烈程度使我心跳，他写信来说，我送他走的时候，在火车开动的一刹那，他难过得几乎要从火车上跳下来，车上放起一名叫蔡琴的台湾歌手的歌，他说这个蔡的声音特别像我，于是他在火车上当着许多人就泪流满面。北方的为人处世表明他是一个厚道老实的人，我相信他说的都是真的。

写到这里我心头一紧，原来我当年竟是脚踩三只船啊！

甚至是四只。

在泽宁之前我喜欢上了一个人，差点就要有所发展了，我到处声称爱情使我死而无憾，说的就是这个人，此事从我自己的嘴里传得像开水一样，弄得外地的朋友也来问，张尊他们也来问，但是这个时候我却又已经变了心。在泽宁前后，还出现了第五只船，实在是当时船已经太多，我才没有一脚踩上去。但是这只船在下文的故事中要成为一个角色，所以我要把他说出来。

女人能同时爱上两个男人吗？

这是一个问题。

在我看来，不但两个，二十个都是可以的。

爱1的声音，爱2的眼神，爱3的身材，爱4的知识，爱5的才华，爱6的游泳游得好，爱7的舞跳得好，爱8会写情诗，爱9会画画，爱10会写小说。

一口气就是十个！

事实上并没有多少可行性。

爱情是女人最好的美容品，但一切只是妄论，请道德同志不要苛求。

说说而已。

现在，接着写我当年脚踩三只船的故事。为了叙述方便，我先将他们编上号。

北方是甲，南方是乙，我到处宣扬的那位是丙，泽宁不需要代号，在他稍后出现的是丁。丁叫丁北辰，也是上海人，学的是摄影，本来在上影厂，调到广西厂之后就当上了导演，还拍过一部戏。

至此，我已经说出了五只船，看上去真是触目惊心，听起来也像是炸雷，如果是别人的故事，我就会认为此人腐烂不堪，道德特别败坏，玩弄男性（既然几千年来男性都很少被玩弄，所以此女特别罪大恶极），值得送上断头台，用一根白色的绫子把脖子挂起来。

我持这样的看法说明我受到了男权文明的极大影响，同时也是因为发生在别人身上的事都是抽象的，只好用抽象的道德观来处理，到了自己身上却觉得根本不是那样一回事。

虽然脚踩了几只船（就认三只吧），但我由衷觉得自己十分纯洁。我现在仍认为自己是纯洁的（据说"纯洁"在九十年代根本不是什么好词，而是傻B的代名词），我爱他们每一个人，我真心愿意跟他们每一个人结婚，跟每一个人都过上一辈子。

我多想活上三辈子啊，加上现在的一辈子，我一共要活四辈子。

　　我特别喜欢男人爱自己，喜欢他们各自对爱情的表达，喜欢他们看到自己就眼睛发亮，那种特殊的眼神是最好的美容品，目光所到之处，我们的皮肤就会变得光滑、润泽、饱含水份，我喜欢他们夸我美丽（实际上我并不美），喜欢他们献殷勤，喜欢他们说爱我胜过爱一切人，即使这些全都是假的，但它们缠绕在我心里，会变成真正的能量，在我的皮肤和血液里燃烧起来，使我散发出某种不可思议的光芒。

　　在我和泽宁交往的半年中，北方和南方都到南宁来过，北方来了两次，南方来了一次。北方第一次来的时候泽宁正好陪他从美国回来观光的伯父到桂林上海等地，泽宁前脚刚走，北方后脚就到了。南方来的时候泽宁已经去了上海和杭州出差，一去就是半个多月，而南方在南宁只停留一周。

　　只有北方第二次来的时候泽宁在，既是如此，我就安排他们见了面，见面的结果是北方认为泽宁完全不可取，泽宁亦认为北方不怎么样。

　　这是后话。

　　不管是北方还是南方，只要他们在眼前，我就认为自己的爱是真的，我一哭一笑，全都是真的。此外我还会把我和泽宁的事告诉他们，我天真地说，再过半年，我就要和泽宁结婚了。南方大惊，说上个月我们还说得好好的，才一个月不见，你真是太容易变心了！

　　对泽宁，我认为有一要说一，有二还要说二，于是我告诉他，有另外一个人，在南方。之后我又告诉他，还有一个人，在北方。

我觉得泽宁是受西方文明影响很深的一个人（他家喜欢西方的那一套，父母每天早上都要听英语广播，有的亲戚不吃奶油面包就难受，他还从自己母亲手里花一千港币买了一台彩电），与传统的吾国男人不一样，所以他一从上海回来，我第一件事情就是告诉他，我的南方的恋人来过了。

泽宁没有我想象的那样轻松，他脸色很不好看，说：只有我，才能听你说这些。他闷闷不乐，临走的时候问我：你想好了没有，到底选择他还是选择我。

我很无辜，说：我都跟他说了嘛，我准备跟你结婚，不过他说允许我走弯路的。

泽宁哭笑不得，他说没想到我出去才半个月就成了一截弯路。

我和泽宁在一起时，关于真假的追问成了一件重要的事情。你是不是真的？你会不会只是玩玩？会不会负心？他问完之后我照着也问一遍。关于结婚，他问得更多些。他常常冒出这样的话：你是真的愿跟我结婚吗？你会不会再反悔？你一定要十分严肃地考虑这件事情，我是一个很认真的人，像你这样脑袋一团浆糊（所有男人都认为我的脑袋是一团浆糊），我真担心你是心血来潮。他说他下个月就要向单位申请离婚了，这就是很严肃的事情，不能开玩笑了。

我傻头傻头地问：怎么考虑呢？

他说：你连这都不会考虑吗？我来教你，你把我的优缺点用一张纸列出来，看看哪边多哪边少，理智地权衡一下。

一听需要运用理性，我立即感到头大了几倍。

我迟疑着问：我找个人商量商量好不好？泽宁说：你跟自己商量还不够吗。

有关爱情的话题，像花一样一朵一朵地开在我的蚊帐顶上。他说我爱你爱得心痛。于是我说我也痛。但我当时并没有心痛的体验，我以为心痛一说，不过是一种修辞。

过了很多年，心痛这种感觉才真正落到我的身上，我才开始知道，当你很爱一个人的时候，心是会痛的，那不是一种精神的假想的疼痛，而是一种真实的生理的疼痛。如果仅仅被别人所爱，身体上的感觉就是骨头特别酥。

爱与被爱，在身体的感受是完全不同的。

爱之外，是生活。

生活在我们的假设中行走，一样又一样，它的背景是我房间里真实的桌子和椅子，真实的衡阳路、火车站、广西电影制片厂，但它的性质则完全是虚拟的，它们要到未来的日子里才会出现，但真的到了未来，它们却又消失得无影无踪。所以它们从来没有真正出现过，只是像一些影子，在我们的过去里缠绕。

我们说，我们将要买一个空调（南宁实在太热了），将要生一个孩子，我们的孩子一定是一个超人（刚刚看了美国电影《超人》）。我们将会吵架吗？总会吵的。为什么而吵呢？我们可能在什么地方有严重的分歧呢？一定是对孩子的教育。你会怎样教育孩子呢？我将给她买一台钢琴。这个想法太平庸了。你会不会找情人？假如我有情人你怎么办？那我也找一个，你找一个，我就找俩。我们会有经济上的问题吗？不会的。家务活怎么办呢？你拖地洗碗，我买菜做饭。你生气会生多长时间？两个小时还是半天？你生气的时候我怎么办？我说小时候我妈把我关进黑屋子里，他说那他也把我关进黑屋子里。

泽宁说：如果是我生气，你就要：第一马上给我一样好吃的东西，如果家里没有，你就得说去买，第二做一件我最讨厌的家务；第三哄哄我；第四讲一个笑话或者说一句很机智的话。

泽宁说：我们要把房间刷成黑色，再在墙上设计一个大大的蜘蛛，表示这是林蛛蛛的洞房，还要在门口题上“盘丝洞”。哗，够恐怖的。

泽宁说：我们不要离婚，我们要过一辈子。我们不用坐班，家务不会成为问题，又都有稿费，经济也不成问题。我们互相腻味了，又可以出差。我们会很忙，然后也可能换单位，很快八年十年就过去了，那时候也有了一定的成就和地位，也不会随便找情人了。

于是我们就开始唱歌，唱的是《戴花要戴大红花》，我先唱，唱完之后泽宁却说这歌有五种唱法，于是他扮成电影《芙蓉镇》里的土改根子，将五种唱法都唱了一遍。

我大乐。

又让我给他挑毛病，我就说他喜欢夸夸其谈，缺少实干精神。我还举了小莫的例子，我说你看小莫十五岁才看见汽车，起点那么低，现在人家却在编《壮族百科全书》。

泽宁一听就不高兴，说：那都是暴发户。他说不过只有暴发户才能干成事情，绅士不干事，不需要，他们的祖辈全都有过了，荣誉、金钱、权势。他说他外公早年留洋，和周恩来一批去法国，他学航空，孙传芳让他出国采买一个大队的飞机，后来他当到教育部次长。说他曾祖父的岳父是中国第一代牧师，祖父开过上海最早的煤球店，开过最早的电影院。

什么《壮族百科全书》，我伯父是《辞海》的编委，上面有名字，你现在就可以去翻。我也写小说，也搞搞这些，但不同，我在玩，不当成什么事业。泽宁一口气把我驳倒了。

泽宁又给我取名字，取的是一个"桌"字，叫我小桌。桌是来自于木，两个木就是林蛛蛛的林字。桌的意思是终极和目的，我则是他的终极和目的。小桌，听起来真是又悦耳又有意思。

小桌，小桌，在窃窃私语中我们度过了多少蚊帐中的美好时光啊！我们躺在盘丝洞里，一夜又一夜地说个不停，我们四肢缠绕，额头相并，深夜两点、两点半、三点、三点半、四点，最晚的时候是凌晨五点。五点天已经快亮了，从没关严的窗帘处看到了天色，竟有了微微的奶白色。看见了天光我就伸手到枕头底下拿表，一看，怎么已经是五点了，难道我们整整讲了一夜的话吗？真的是五点了。我们快睡觉吧。

在心满意足中我们沉沉睡去。

现在四周一片沉静，一个年轻女子的面容浮出黑暗，齐、梦、阳，她的名字像一串水泡，咕噜咕噜地一路升上来，悬浮在我的桌面上，空彻，透明，边缘闪着彩虹的光泽。

她就是泽宁当时的妻子，他们还没有离婚。

在我认识泽宁之前，有一个黄昏，我骑车从七一广场到七星路，在上坡的时候，抬头看到一个女子迎风驶来，她穿着一条蓝布连衣裙，发辫盘在头顶，形容十分姣好。她骑车下坡，呼的一下就从我身边过去了，我忍不住扭头回去看她，只看到了一片飘拂着的蓝色裙摆。

那身蓝布裙子若穿在别人身上一定很别扭，穿在她身上却是一番别致，风韵十足，我心想南宁的大街上怎么会出现这样的女子，甚是不俗。不知她从何而来。

当我和泽宁发展到谈婚论嫁的时候，我问泽宁，齐梦阳会不会不肯离婚。

泽宁说，你不了解她，这个人很自尊，她决不会赖着不放的。

我们的事，泽宁很快就跟齐梦阳说了，前后没超过一星期。他说得很明确，准备离婚跟林蛛蛛结。第一天他们谈了财产分割，第二天齐梦阳有一点反复，说想生个孩子再离，到了第三天却说，要离就趁早，不要拖了。

泽宁每天来向我报告进度，到了第四天，他说齐梦阳希望离开南宁，最好是能调到广州，若广州不成，郊区亦可，郊区不成，佛山亦可。

我想起我的恩师将要调到广西驻海南办事处，就去找恩师。恩师姓符，当年在一堆自由来稿中发现了我的诗歌，是一个热情的人，我介绍了齐梦阳的情况，他说齐没有特长，在海口不好安排，如果她愿去琼山，他可以给组织部写信。

此外泽宁又说最好给齐梦阳介绍一个男朋友，这样她的日子会好过一点。于是我便想到了丁北辰。

我不记得丁北辰是什么时候来找我的了。

有一个下午我正独自在家，听到有人敲门，我以为是哪个熟悉的朋友来借书顺便找我聊天，结果却迎面看到了两个大个子男人，他们顶天立地把我的门口都塞满了。

这两人一个是话剧演员，姓李，长春人，我们见过面，我曾听过他朗诵难度极大的现代诗，当时正是"寻根热"，我们写的诗都十分古旧，堆砌了大量远古意象和文化符号，极其拗口。广播电台请李朗诵我们的诗，我们对他在音调上的处理十分折服，那是我们一辈子都不会想出来的。我们生硬的诗句经过他声音的塑造，顿时变得浩浩荡荡，时而在天上飘荡，时而在幽谷潜行，我们已经完全认不出自己写的诗了，它们好像经过了灵魂转世，变成了另外一些更为高级的事物。我好像还跟谁一起去过一次李的家，跟李畅谈话剧，他说作为一个话剧演员最幸福的事就是连自己都要不着票，而这样的经历他一生中只碰到过一次，那是演《嘎达梅林》（也许不是这部戏，我的记忆常常不是很准确的）的时候。

总之李是一个优秀的话剧演员，看到他我很高兴，我以为一个畅谈话剧的下午不期而至，于是心里鼓镲齐鸣磨拳擦掌，一边眉飞色舞地把两人迎进屋里。

我几乎把丁北辰忽略了。

李说起了某某剧本，说该本子的导演工作本厂长没通过，要改，想请我帮忙。我一听就吓坏了，我在文学部工作，每天看到的都是改本子的事情，一个本子改十遍八遍，越改越差，无所适从，最后总是化神奇为腐朽，我始终认为改剧本是一件残酷的事情。

我皱起了眉头，不明白李为什么要谈如此乏味的事情。

但李很快就不再说改本子的话题了，他说起了丁北辰，说丁离了婚，说丁想和我合作，改我的小说，说以后我还是当编剧好，又说丁北辰学摄影出身，拍照片拍得很好，哪天专门给我拍一批放大。

听到拍照片，我立即又高兴起来。

（我是一个自恋的人，特别喜欢照相，自己的月工资只有五十四元，买相机的钱却花了一千二百元，就好比现在月收入一千多块钱，花两万元买相机一样。我的相机后来逛天坛的时候丢了，1996年我到瑞典去，行前特意去买相机，只敢花两百元买全商场最便宜的相机，当时我刚刚下岗，作品又受到批评，出版社不太敢出，前途一片昏暗。结果到斯德哥尔摩的第二天，新买的相机就坏了）

心里一高兴，对眼前的人事重新有了感觉，我似乎有点明白他们此行的目的了。于是便仰面看丁北辰，他又高又大，脸黑眼细，唇厚牙白，一点也不像上海人（泽宁的外表也不太像上海人）。丁北辰一直没太说话，憨厚老实的样子，气质沉稳，使我顿生信任。

他们没有坐太久，丁北辰说今天主要是来认认门，他会再来找我。然后他们就走了。

那天是星期六，天阴了一天，他们走后就下起了雨，越下越大，下了整整一夜，我独自在房间里，听着雨声，感到了寂寞。

一夜的寂寞延续到天亮，起床之后我满腹心思，坐在桌前胡思乱想。却听到了敲门声，我还未站起，就听见丁北辰在门外朗声问道：小林在吗？

应声开门，一眼看见丁北辰手里提着一条大活鱼，鱼尾还适时地摆了两下，整个空气都变得喜庆起来了，我雀跃着把活鱼放进盆里接水，看到鱼还能游动，我高兴得像过年似的。

丁北辰说他是蹚水过来的，楼下的水淹到了腿肚子，我到窗口一看，真的是淹了。丁让我干我的事情，他说他得帮我做一顿饭。

我问：你会杀鱼吗？他说：会。我又问：你会做饭吗？他说：会。我说：这真是太好了！

于是我跑回房间捧了一本书，我捧着书不停地跑到厨房看他怎么杀鱼，还指指点点，告诉他盐油酱醋的位置。我一会进，一会出，显得比人家还忙。

鱼是清蒸，蒸的时候丁一动不动地守在旁边，蒸汽升上来了，他就开始看表，他说：你去看书吧。我刚走到房间里，听见锅盖噗噗响，便又折回来。蒸汽越来越浓，升到了厨房的天花板上，像云一样，鱼香出现了，鲜明而生动，迎着面，越来越明亮。再过一会就好了，突然，丁猛地一掀锅盖，我一声惊叫，浓雾冲天而出，眨眼之间他却又把锅盖盖上了。

我大声嚷道：汽全跑光了，鱼要不好吃了！

丁一笑，随手把火关了，说：吃饭吧。

他把锅盖掀开，只见蒸鱼身上，是一层碧绿的葱花，原来刚才的惊险动作就是把葱花放进去让蒸汽闷一下，这是我一向解决不了的难题，如果一开始就把葱放进去，蒸出来一定是黄的，若是鱼蒸好后再放生葱，又觉得不够卫生。

丁北辰把鱼蒸得又香又嫩，把葱做得比葱本身还绿。我长年吃饭堂，最缺的就是好吃的东西，但我却不自知，以为自己最需要某些高深莫测的思想、学问、艺术、哲学等

67

等，正是这种错觉把我的生活搞得一塌糊涂，支离破碎。

吃过了饭，丁跟我谈他的离婚，谈他自己，他说他对文学一窍不通，只读过《红楼梦》，外国小说一本都没看过，弗洛伊德什么的，只听说过名字。在我交往过的男朋友中，还没有谁这样主动招供的，当然也没有谁只看过《红楼梦》，对于丁北辰的老实慈厚，我不但没有好好对待，反倒认为他无趣。加上吃饱了饭，我就开始胡说八道。

我说我不喜欢正常的家庭生活，传统的婚姻早就应该砸碎了，要建立新型的男女关系，怎样才是新型的呢？不知道。所以要实验，要进行各种试验，我以我血荐轩辕。

要搞实验婚姻，

要试婚，

要生私生子，

要做单身母亲。

女性要独立，人民要解放。

一路说下来，各式新奇的东西纷纷灵魂附体，从虚无的地方、从远处、从书本七零八落地贴到了我的身上，它们使我看起来不像我这个人。我现在觉得她有一点像卡通人，是一个假的林蛛蛛，是扁的，你怎么转过身去也看不到她的后脑勺，她的皮肤没有毛孔，不会出汗，她的肚子里没有缝隙，不用吃饭，所以她才胆大妄为，竟敢说自己要生一个私生子，她不知道生私生子要脱多少层皮，即使知道她也不会痛。

这样一个被观念缠绕的女人她迟早是要遭报应的。

不是不报，时候未到。

我说得太快，不知道自己已是心口不一，难道我真的喜欢一辈子不结婚跟别人作试验吗？难道宁愿历尽艰辛养大一个没有父亲的孩子吗？

我不知道自己为什么要对丁北辰说这些，我吃了鱼，却变成了瀑布，呼呼乱飙，不负责任。如此看来，就是吃饱了撑的，像林蛛蛛这种人，真不配吃好东西。

丁北辰走了，我忽然有一点后悔。

风花雪月的日子真是纷纭啊！像一堆水泡，彼此挤在了一起，一挤就挤破了，剩下一滩泡沫。

星期二的时候丁北辰又来看我，他这样一个老实人没被我吓住，实在是不容易。但他来得不凑巧，四条船甲乙丙丁中的丙正好在，如果换了另一个时间，我也许会变回一个真实的林蛛蛛，好吃贪睡，不再夸夸其谈，而丁北辰对这样的女人是恰到好处。我将跟他好好谈一谈，他的信心和耐心会一点点生长起来，我将慢慢看见真正的生活。

但是丙在。

丙兴致正浓，他上午刚刚收到美国什么大学的什么表格，下午就来告诉我。丙的父亲是话剧团的编剧，他从小看了很多书，气质比较古典，是那种好家庭培养出来的好青年，我曾认为这样的人适合我，但我认识他的时候人家结婚已经半年了。在有了泽宁之后我发现丙太古旧，对二十世纪文学一无所知，后来认识了程麻，又嫌泽宁连米兰·昆德拉都不知道，以书取人，完全是大学女生的水平。

我开开门，看见丁北辰单手托着一只大西瓜，看到西瓜我满心高兴，笑容浮在我的脸上，像一个馋嘴的孩子。

丁北辰把西瓜捧到胸前，像是要送给我一大把玫瑰，他说：这是给你买的西瓜（现在我听起来就像他在说：这是给你买的玫瑰）。他露齿一笑，一道白色的光在他的嘴里闪了一下。

但是丙在我房间的藤椅上坐着，丁北辰一进门就看见了他，他们互相认识，反倒一时无话，两人僵坐在那里。

而我缺乏社交经验，不知道这时候该说些什么，也傻愣着，不光如此，还没事人似的，看看丙，又看看丁，像是这一尴尬场面里最无辜的人。

过了一会儿（大概在一分钟到五分钟之间），丙想起了他刚才的话头，关于美国和大学，这对丙而言就像在烈日下抓到了一顶草帽，他捡起来就接着说，说的时候却只看我，不看丁。

局面一下就被丙控制了，丁变成了一个受冷落的第三者。他坐了片刻，就站起来说：你们吃西瓜吧，我走了。

于是他就走了。

下个星期丁北辰仍来看我，他买了肉，给我做红烧肉吃。他提起丙，说他不喜欢他，又问丙的爱人到上海学习回来没有。我说我不知道。

这次的红烧肉做得不太成功，味道虽好却咬不动，饭桌上气氛沉闷，跟上次吃清蒸鱼相去甚远。饭后我洗碗洗了半天，也没跟他说什么话。我洗完碗后他说他该走了，我送他出门，让他有空再来。

他挥了挥手，消失在门口拐弯处。后来他就再也没有来过。

现在我十分想念丁北辰，他的清蒸鱼红烧肉和大西瓜比玫瑰还要鲜艳，比牡丹还要雍容，多年之后我才真正明白，食物的香气要比香水的气味更本质。我在《亲爱的菜市》里写道，这些最具有平常心的事物，是尘世最直接的温暖，它对一个人的寒冷和荒凉，是可以比一首诗更能贴近人的皮肤的啊！

但我意识到这点的时候，多少年都已经过去了。

当年丁北辰情意绵绵的食物飞快地穿过我的身体，然后不留痕迹地消失了。他微黑的皮肤和牙齿白色的光芒要到许多年以后才被我重新想起。

泽宁提出来要给齐梦阳介绍一个男朋友的时候，我首先想到的还不是丁北辰，而是另外一个人。这一位姓单，三十五岁，大学讲师，未婚，父母都是工程师。我觉得他的条件很不错，于是约他来谈谈。单讲师听说要给他介绍女朋友，就把他的经济收入、住房、家庭、职称、业余爱好一一说给我听，他的收入除工资外还有到电大和函授大学讲课的外快，加起来比工资多两倍，而他的业余爱好是篆刻，他告诉我，我的"蛛蛛藏书"的印章就是他刻的。几年前，我的一个朋友托人给我刻了一枚藏书章，没有告诉我是请谁刻的，原来就是单。

我认为单在南宁也算是一个打着灯笼才能找得到的黄金王老五了。

不料齐梦阳却早就认识单讲师，她对泽宁说，离婚就离婚，干吗把这个宝贝塞给我。

一句话听得我大惊，心想这齐梦阳不免眼界太高了。

过了十几天，我在路上碰见了丁北辰，各人骑车从相反的方向走，没有打招呼。我当时心里一动，想到这个人仪表堂堂，电影导演，职业浪漫，人却厚道，也许齐梦阳会接受。但我当时跟丁已经有将近半年时间没联系了，不知道他有没有对象，愿不愿意跟齐见面。

我跟泽宁一说，泽宁就说要尽早给小齐介绍。最后决定由他出面给丁北辰的朋友、那位带他找我的话剧演员李写信，约李在星期天上午十点到我宿舍来。

到了星期天，李果然来了。李说丁北辰到广州出差去了，不在南宁，等丁一回来他就跟他说，李说丁北辰肯定愿意见面的。

又过了大约一个星期，丁北辰来了，我便摇身一变成为媒婆。

媒婆是我从小就特别仇恨的一类人物，她们穿着花花绿绿的大襟衫，脸上点着大墨痣，手里摇着大葵扇，是一种既丑陋又邪恶的妖怪。她们把黑说成白，把白说成红，民间有关媒婆的笑话无数。

想不到我会在一次恋爱中把自己变成一个媒婆，真是人生无常啊！我说齐梦阳是四川人，四川女人都很漂亮，不像广西，广西除了桂林，别的地方都出不了美人，小齐比我高，比我白，比我丰满，她是演员出身，她父亲原来是军分区副司令。

我眉飞色舞，有关齐梦阳的好话像一群蝴蝶，从我嘴里翩然而出，它们有黄有蓝有粉，飞满了我的房间，然后停留在我和丁北辰中间的空气里，闪闪烁烁，真是令人陶醉。

丁北辰不作声，他问我：你的事怎么样了呢？我说我没什么事。过了一会儿，丁北辰说起厂里已经给他分了两室一厅，他两天前刚装了一台热水器，现在生活方便些了。我想到，若跟丁北辰在一起，生活会比较安定，泽宁习惯夸夸其谈，有可能最后一事无成。

但我没再说什么。于是约定，第二天晚上七点半在明园咖啡座见面。

明园在我的记忆中充满了桉树叶子的气息，那是一种药香，在我小时候的镇子里，夏季里每个周末都要熏蚊子，每个机关，每家每户，都在庭院和室内点上一堆（在室内则用一只破瓦盆）干草，再在干草里放上一些桉叶。在这样的傍晚，男女老少倾巢而出，成为一个会心的节日，桉叶的气息弥漫在街巷，孩子们就像闻香而动的虫子，爬着跑着跳着飞着，纷纷降落到河边的公园里，公园有大榕树、万寿果树、鸡蛋花树、红豆树、棕榈和葵扇，我们把万寿果捡来吃，把红豆捡来放进煤油灯里，植物的气味在熏烟中变得干燥，天边的晚霞在树叶之上飞驰。

明园就这样闪动在我和故乡之间。

它是离我当年的住处最近的一个宾馆，我住在市人民公园里，从侧门出来，正对着的就是明园。晚饭后我骑车出门，几乎每次都要经过明园的大门口。但我不知道自己为什么要把一个宾馆（尽管是庭园式的）看成是跟家乡有联系的一个地方，难道就因为那里面有许多我小时候就认识的树木吗？

1998年10月份我回南宁，到达的当天就给当年的朋友张尊打电话，他说我们在什么地方见见面呢，新的地方你都不认识，我来想想你会认识什么地方。最后他想起来的就是明园咖啡座。

明园里有多幢楼房，在树木的掩映间，它们乳白色的楼体若隐若现，一号楼、二号楼、三号楼、四号楼、五号楼，我有点不记得它们谁是谁了。在八十年代，我曾无数次到明园来，最早的一次是接待武汉大学来邕给函授生授课的王老师，我和图书馆辅导部的同事遵旨给王老师送香蕉。

写到这里，我就看见我们两人抬着两大束像火箭炮似的青香蕉蹒跚走在明园的树底下，我们迎着两棵棕榈树光光的树杆走去，棕榈树的后面还有叶子又宽又肥的枇杷树。我穿着白短袖蓝裙子，样子像是一名中学生，而我手中的香蕉束有半人高，看上去完全是中学生扛着树苗去种树。

走上台阶，台阶奇怪地陈旧，由青砖侧身砌成，中间有些凹陷，两边竟有一层青苔，难道这是明园某号院的台阶吗？但台阶的尽头是平台，平台的尽头却是华贵的地毯（华贵也许是我当年的错觉），深孔雀蓝的颜色漫布幽深的楼道。地毯使我吓了一跳，我觉得它就像一个欺生的门卫斜着眼睛站在那里。我踌躇间，同事却一脚踩了上去，我几乎是被她拖着走。脚步声奇怪地消失了，在失重中我感到自己不明不白地就被放到了一个陌生的空间。我想叫停，却又羞于出口，脚下跌跌撞撞的不成样子。忽然听到同事说，到了。她敲开了门，王老师满面笑容地站在门里。王给我们班上过整整一学期的西文编目课，我是一个不热爱专业的学生，跟系里任何老师都不密切，但我在陌生的明园看到她，一时有一种他乡遇故知的感觉，我微笑着看她，嘴里说不出话来。

这幢楼是不是二号楼呢？我已经记不得了，但我闭着眼睛都能摸到它，它在一进门的右手边，比别的楼、甚至比总服务台都更接近门口，但它台阶前的青苔使它具有一种幽闭的气质。

如果我闭着眼睛闻到青苔的气息，我会知道我的右侧是棕榈树，我的左侧是枇杷树。如果我闻到桉树的气味，我就会知道这一定不是二号楼了，这时我已经走到了另一条路上，这条路的两边有修剪过的冬青，左边有米黄色的矮围墙。这时候如果我睁开眼睛，就会看到两根白色的圆柱，支撑着一个方形的门廊。门廊这种建筑物的附属品，最适合雨天观看，在细雨飘飞的天气，雨丝落在回廊的凸檐上，有一种动人的东西。或者在月光下，圆柱的质地好像已经改变，清寂的门廊不知从何而来。

事实上七号楼（也许是五号楼）并不是清幽的处所，这种别致的门廊应该放在二号楼那种台阶上长着青苔的地方才更妥当。七号楼人来人往，谁来都住在这里，谁让它最高最宽呢？它高有五六层，所以它就装了电梯，它的宽大比得上四座二号楼，所以它进门就是一个大厅，不像二号楼那样，进门就是通向房间的走廊。大厅里有许多沙发，茂盛的绿色植物（苏铁？橡皮树还是美人蕉？）咄咄逼人地顶着落地玻璃，如果坐在沙发上等人，它们就是乏味的人群之外最值得观看的景物。

我曾多次坐在其中的一张沙发上，它正对着一面落地玻璃，大门、服务台、电梯一概不在我的视线之内，是整个大堂里最闲散的位置。

我对这个位置记忆犹新。

作家、编辑、导演、演员、编剧，谁都有可能住在这里，对他们当中有的人来说，我是他们的工作对象，而对另一些人，他们则是我的工作对象。除此之外，有的人是我的朋友。当年的两个人，甲和乙，或者叫北方和南方，他们也曾在这里住过。第二年，我离开南宁到了北京，我的生活发生了深刻的变化，我再也没有见到北方和南方，我不知道日后还会不会遇见他们。

我在八十年代的那个冬夜要去的是明园的一号楼，咖啡座在这楼的一层。我往里走，几乎要走上两百米，沿途是一个缓坡，从缓坡爬上平地后还要经过两片建筑物才能到达一号楼。左边是一层典雅的餐厅，在我的记忆中，那里面充满了雪白的台布与餐巾，它们像翘翅的鸟儿均匀地落在晶亮的玻璃杯里。那是我第一次在这样宽阔洁净的餐厅用餐，那次北方到南宁来，他要乘坐早上八点多钟的列车离开，我一早来送他，就在这里吃早餐。就是在这一次，我安排泽宁与北方见面，北方对他印象不是很好，我不知道这是不是影响了我最终的选择。

右边的建筑是礼堂，有外地的名人来邕，一般就安排在这里演讲并跟各界群众见面。有一年是丁玲来，她穿着鲜艳的红衬衣，外罩一件白色镂空的衣服，胸前大片艳红和肩上细碎的雪白恰成对比，明亮而爽目。她的丈夫陈明微笑着跟在她的身后，然后安静地坐在讲台下。我坐在会堂的后半部分，丁玲落座后我就看不到她了。她说起一个名叫黄钢（？）的人，我不知道黄钢是谁，也不感兴趣。这样的话题大大出乎我的想象，本以为会有许多传奇的内容，结果却出来一个黄钢，真是匪夷所思。我兴趣骤减，她后来所说的我一个字都没听进去。

张尊坐在我的旁边，他当时进武汉大学作家班学了一个学期，刚刚放寒假回来，他对我说，你别看现在丁玲是个老太太，她年轻的时候比谁都前卫，你看过《莎菲女士的日记》吗？我说解放前的女作家我只喜欢萧红。张尊立即开导我，说萧红主要是因为比较革命，她的文学成就不如丁玲，我说要说革命，丁玲去了延安，萧红没去，萧红可能连党员都不是。张尊看我如此不听开导，就说起武大中文系给作家班开的书单，他说中国文学要从《诗经》开始读，外国文学则要从荷马史诗开始。说到文学史，我果然不敢开口了。

听丁玲演讲那天我本来要早退，但张尊认为坚决不能走，这样我便坚持到了散场。回到图书馆，我和几个单身职工坐在道的长椅上各自吃饭，馆里一位六十多岁的老馆员问我看见丁玲没有，我说当然看见了。她又问丁玲是不是很有风采，我说就是一个白发老太太。她立即无限感慨，说当年丁玲很浪漫的，夜里划一条小木船，在月光下的湖面上饮酒吟诗。老馆员很有感情地说着这些，我便问她是不是从前认识丁玲，她说我哪里认识，人家是名人，这都是从报纸上看来的，当时批判丁玲有小资产阶级情调。总而言之，这次活动我虽然没听见丁玲说些什么，但她在男女老少文人中的巨大影响给我留下了深刻印象。

在丁玲之前曾有王蒙、李陀、陈建功等人来过，那时我与广西文学界毫无联系，故未能瞻仰（取尊敬之意，没有不良居心）以上各人风采。我有一位女友，是文学狂热分子，每有文学活动，都要千方百计赶去。那次听完王蒙讲演后特地来对我传达，她说去的人很多，挤出了一身汗，王蒙说，不少青年都说自己酷爱文学，这么年轻，爱得这么残酷干什么。当时全场大笑，气氛热烈。

　　我的女友只记得这一句话，她重复了三四遍，边说自己边笑。后来李、陈二人来，我的女友又去了，回来说，两人特别现代派，穿着羽绒衣（南宁当时没有羽绒衣，故这种御寒的衣服有一种北京来的、时髦的派头），并排坐在讲台上，一人说一段，像说相声一样好看。

　　我问她到底说了些什么，她一句都不记得了。

　　我这女友后来爱上了一名作家，作家当时还没有离婚，女友就放弃了很好的工作，跟他私奔到外地去，直到1991年才终于结婚。我1998年回南宁的时候，他们也已从外地返回南宁，作家身体不好，有各种病，单位不能报销医药费，我的女友没有固定工作，还要养一个孩子，生活危机重重。

　　我去看他们的时候，他们刚刚在古城路拐弯的地方开了一家粉店，专卖桂林米粉。我陪她坐在粉店门口收钱，亲眼看到一个人给她一张一百块，她给人家找回九十八块。一碗米粉才卖两块钱，利实在太薄了（我的另一个女友在北京西直门开了一家兰州拉面馆，一碗面卖五块）。我看到她粉店的灶台上堆着许多东西，新鲜的肉、叉烧、脆皮、黄豆、酸菜、辣椒，灶里的蜂窝煤正在燃烧，一口大锅冒着气，她说正在熬一锅卤汁。她的成本有多高呢？她每天能挣到多少钱呢？

　　我的女友韶华已逝，四十岁的色素浮在脸上。她的丈夫、当年的知名作家坐在门口，老且病，面无表情，像一个抽大烟的人。两人凌晨五点即起，夜里十一点才睡，没有休息日，家里散发着一股霉味。

　　这一切使我黯然神伤。

在文学的时代里扔掉工作，私奔，为了一个作家而不顾父母的眼泪，放弃南宁，漂泊，在路上，到了四十岁回到南宁，坐在粉店卖米粉。这也是我的生活。我的女友的生活就是我的生活，我对文学的盲目狂热没有表现在私奔，而是另一种幼稚，但对泽宁来说，也许，也是一种私奔。

这样的事情只有在文学风烟滚滚的八十年代才会发生。

我是怎样跟泽宁不辞而别的了？

没有说明原因，也没有明确提出分手，我对他的热情一下就消失了。在四月我们还说要结婚，四月的时候齐梦阳跟她的领导谈了离婚的事，领导让她到七月再离，因为齐的党员预备期到七月期满就可以转正了，离婚会影响转正。泽宁说齐梦阳是那种能当官的人，她现在的单位太小，施展不开，不然爬到一个副厅级应该没有问题的。

四月底我到北京组稿，就像一粒沙子被风吹到了天上，天上风起云涌，我从城东到城西，从城南到城北，六月又到香山参加国际电影讲习班，七月中旬才回到南宁。我买了许多时髦的书，见了不少时髦的人，一次也没想起来过泽宁。

回到南宁后泽宁来找我，见到他我已觉得无话可说。我跟他说什么呢？他既不知道米兰·昆德拉，也不知道海德格尔，从来没有听说过维特根斯坦，我想我怎么能爱上一个如此落伍的人呢。

我的目光有点冷，我想泽宁在一进门就已经看到了，他没有像以前那样拥抱我。他坐在藤椅上。

他问我：北京怎么样？我说：不错。

我的电影生涯——一部虚构的回忆录

79

　　然后就是长久的冷场。

　　无话可说。

　　那时已经是七月了，七月是泽宁和齐梦阳原定办理离婚的月份，这是一件大事，但我对此事只字不问，好像泽宁的离婚与我毫无关系。泽宁看我不想说话，坐了一会儿他就走了。而在往常，我会跟他一块吃晚饭，然后共同度过一个不眠的夜晚。

　　过了大约一个多星期，泽宁再次来找我。

　　这一次的冷场非常久，他固执地不开口，也许是要等我给出一个说法，他有这个权利，我必须解释。但我没有。

　　我不知道自己应该解释，也不知道应该解释什么。我毫无感觉地坐着，好像在此之前一切都没有发生过。

　　我真是一个没心没肺的女人啊！

　　我毫不负疚，就那么坐着，没有一句话。后来泽宁就走了。我们虽然同在一个部门共事，但一夜之间就成了路人。

　　我很快认识了程麻N，他是我们厂最有才华的青年导演，他有一本米兰·昆德拉的《生命中不能承受之轻》，还有一本海德格尔的《存在与时间》，此外还知道维特根斯坦。事实上我根本不知道维特根斯坦是哪国人，只隐约记得他是哲学家，同时又是艺术家和工程师，但我无端热爱这个古怪拗口的名字，觉得它正是标志着时髦的一个响亮口号，它像一面铜镲悬在我的头顶，另一面镲则从程麻的口中吐出，一声金属的碰响，擦亮了我们的双眼，我和程麻就这样相爱了。

　　如此幼稚，如此不可理喻，但这却是真的。

在离开南宁到北京工作之前，我忽然想到了泽宁。我去看他，当时他已经在厂里分到了旧楼的两居室，他离了婚，一个人住。我在他书桌的玻璃板下看到了一张年轻女子的照片，我问他，这是不是他的恋人。他说是。他说她是扬州人，现在南京。我说她比我漂亮多了，有点像林芳兵。

此后的十年间我再也没有见到过泽宁，我一次都没有想到过他，他就这样在我的视野里消失了。

在明园的那个冬夜，谁又能提前知道这一切呢？齐梦阳穿着呢子冬裙高统皮靴（这在南宁是非常时髦的冬装）站在明园大门的树荫里，她朝我矜持地点点头，我想跟她说说话，她却看着别的地方。

我们三人一起往一号楼走，路灯昏暗，空气里好像浮着一层薄雾，近处的树木是深灰色的，右边稍远些的礼堂隐没在黑暗中。我一直想跟齐梦阳说话，但她昂着头在前面走，直到上坡我也没能追上她。于是我把夸奖的话说给了泽宁，我说：齐梦阳气质很好，打扮也挺时髦，在南宁绝对是一流的。

咖啡座笼罩在橙黄色的朦胧光线中，丁北辰穿着西装，很认真地打了领带。令人奇怪的是，当他和齐梦阳站在一起时，好像咖啡座立即变得明亮起来了，木质的桌椅散发着一种厚实的光泽，倒悬着的各色酒瓶子则晃动着类似于钻石的光芒。这就是说，某种爱情的时刻出现了，哪怕它一闪而过，但它的亮光确凿地从这两个人身上发出，照耀他们周围的一切物质。

丁北辰神采奕奕，齐梦阳脸上放着光，两人如果小二十岁，简直就是一对金童玉女。咖啡的香气开始袅袅上升，从两人面前的杯子出发，飘到桌子的中间，并在那里交会。这样一个和谐的场面却有一个傻头傻脑的女孩夹在其中，她觉得自己是红娘，把两个人介绍认识之后她就坐到了桌子跟前，泽宁及时告退了，傻女孩林蛛蛛却要在丁齐二人间抢着说话。

齐梦阳刚说：电影厂……我也认识一些领导。林蛛蛛马上抢着问：是新班子还是老班子？齐梦阳甚是老练，沉稳应对说：新老都认识一些。林蛛蛛就冲着丁北辰说：齐梦阳交际很广的。好像一个卖珠宝的人举着一串珍珠说：瞧，多好的珠子！齐梦阳便只好对着蛛蛛说 没有你交际广，你认识的都是名人。

蛛蛛被人一呛，一时没有话了，但她以为是齐梦阳表扬她，心里竟是一片得意。这时齐梦阳又另开了一个话头，她问丁北辰是否去过四川，不等丁回答，林蛛蛛又抢着说：我去过，我一个人还爬上了峨嵋山。如此这般，林蛛蛛在冒了将近十多分钟的傻气之后才想起来告辞。

这个当年的林蛛蛛是不是我呢？打死我都不会承认。

第二天泽宁一来就说，大功告成，丁北辰对齐梦阳一见钟情，当场求婚。

由于得来太容易，齐梦阳就有一些挑剔，她对泽宁说，丁北辰是林蛛蛛不要的，林蛛蛛是才女，丁北辰一点才气都没有。泽宁便又作了一番劝导，说，在这个社会里，才气是没有用的，有用的只是社会承认的地位，这个东西丁北辰有，他泽宁没有。再者，你看他没有才气，那说明你比他强，这就是你的优势。等等。

从此别开生面。我和泽宁走在大街上，下意识地与他保持距离，泽宁便揽住我说，你还怕人看见吗？我们明年就要结婚了，还怕别人看见。

在这个短暂的冬天里，蛛蛛和泽宁像两滴水一样溶在了一起。齐梦阳一出差，泽宁就把蛛蛛带到自己家里，出差了一个星期，两个人就同居了一个星期。对此蛛蛛很满意，认为这种过法很接近自己关于试婚的超前观念。

他们同进同出，骑着车呼呼地上坡，又呼呼地下坡，咣当咣当地越过横在马路中间的铁轨。他们一同到菜市买菜，泽宁熟练地挑选，又老练地讲价，充分体现了一个上海男人对生活的洞察。买了活鱼，又记着买葱姜，买了叶子又大又绿的芥菜，买了新鲜的蘑菇，买了鲜亮饱满的西红柿，猪肉家里还有，就不买了。绿的红的和白的，统统放进泽宁车前的铁线筐里，蛛蛛在成人后基本上没过过家庭生活，看到这么多菜，满心满眼都是喜悦。

回到泽宁的家，蛛蛛觉得已经是自己的家了，但她不动手做饭，做饭是泽宁的事。她穿着齐梦阳的拖鞋（她觉得齐梦阳的拖鞋也是自己的拖鞋似的，一点也没感到不适），站在厨房里，跟着泽宁转来转去的。

泽宁洗菜，她就站在水池边，泽宁切菜，她就站在案板旁，泽宁要从冰箱里取瘦肉，她就跟着走到冰箱跟前。泽宁开始烧菜了，蛛蛛就在菜锅旁边不停地吸鼻子，一边吸一边大声叹道：真香啊！太香了！完全是一副长期吃饭堂的人对食物不可克制的馋相。

蛛蛛像一个跑堂，一样样地把泽宁烧好的菜端到饭桌上。她一边走路一边把鼻子凑到盘子跟前，菜香浓郁地灌进她的五脏六腑，唾液汹涌地翻滚不已，蛛蛛一下接一下地咽着口水，直咽到喉咙都快抽筋了，菜才全部做好。

有用日本麻油做成的罗宋汤，有蘑菇烧鱼，绿色的芥兰，金色的酸菜，黑糯米做的饭，又开了醉牡蛎、酒糟鱼，已经是满满的一桌。我从来没有见过这么些稀里古怪的东西，简直是闻所未闻，牡蛎如何能醉？鱼怎样又能给酒糟了？蘑菇竟能烧鱼，日本麻油跟吾国麻油又会有什么区别呢？

一个疑问就是一颗钻石，它们悬挂在饭桌上方，满桌熠熠生辉。泽宁真是一个宝藏啊！他口吐珍珠，手握莲花，让人又惊又喜。

吃过了饭，就该蛛蛛洗碗了，这是天经地义的，有这样好的饭吃，就是洗一百个碗都不怕。洗过了碗，蛛蛛又磨拳擦掌要拖地，泽宁说拖地要到临睡觉前，明天早上起来，地上一个旧脚印都没有才好。但不拖地干什么呢，泽宁两头一看，摸出了一本白先勇，泽宁认为白是中国当代最好的作家，为了说服蛛蛛，他就读起了《永远的尹雪艳》。及至上床睡觉，两人还很兴奋，泽宁又作鬼作怪的闹，一边做鬼脸，一边发出怪异的声音，还趁蛛蛛上厕所的时候钻进了床底下，说要让蛛蛛看看他最坏时候的样子。

过日子也没忘了正经事，两人都发奋写作。

泽宁写一个中篇，蛛蛛写一个短篇，泽宁每天写三十页，蛛蛛每天写三页。一个星期下来，两个人的小说都写成了，又一同到邮局去，寄给当时影响最大的《人民文学》。（泽宁的中篇后来被退回了，我的短篇《四月》发在《人民文学》1988年第7期上，几年之后我重读此作，觉得很不怎么样，故我所有作品集都未收入。现在想来，这不过说明我比泽宁幸运，也许泽宁的那个中篇是一佳作也未可知。)

一个星期像闪电一样过去了，闪电是我惯用的修辞用语，但这道闪电并非真实的天空中出现的形状，它像一道彩虹一样有着光滑的弧度，而且有着七彩的光芒。蛛蛛觉得自己就像敦煌壁画里的飞天，云鬓高耸，胸部半露，裙裾飘扬，她仰着头，平着身，在天上的这一头飞到那一头，心里充满了昏头昏脑的幸福感。告别的时候两个人依依不舍，含情脉脉地你看着我，我看着你，好像从此就要天各一方。

结果刚刚过了一天，他们又开始约会，过了两三天，趁齐梦阳出去，泽宁又把蛛蛛约到了自己家，照样是一起去菜市买了菜，照样是泽宁烧菜，蛛蛛站在跟前吸鼻子。这次泽宁做了三样菜：豆腐烧蘑菇、鸡蛋炒香肠、虾米白菜，又开了醉牡蛎、豆豉鲮鱼，而且倒上了红葡萄酒。

刚刚举起杯子，齐梦阳却回来了。

蛛蛛以为给齐梦阳介绍了丁北辰，基本就算是功过相抵，连忙热情招呼齐梦阳一起吃饭。结果适得其反，齐梦阳一看，这林蛛蛛实在是不像话，竟然跑到她家当起了主妇，还如此热情地请她吃饭，真是岂有此理。

她沉着脸，压着一窝的火，冷眼在厅里站着。

忽然，她鼻子动了两下，拎着提包就冲进了厨房，把饭锅盖一掀，大声喊道：饭糊了！一口恶气夹在声音里，听起来有点咬牙切齿。接着她就站在厨房门口，对着饭桌说：我抗议！我不吃！然后又冲着泽宁叫道 要是我烧糊了饭，你就能把我从楼梯口踢下去！

85

风云突变，泽宁像一个受气包一声不吭。

蛛蛛却不知道审时度势，看到人家夫妻吵架，就该赶紧躲起来，她倒好，反而又叫又笑地起哄，大声说：挨骂喽——边说手里边做敲锣状，嘴里发出当当的锣声，在一片混乱之中把自己变成了一个顽童。

变成了顽童之后蛛蛛心情很好，一点也不认为是自己惹人家夫妻吵架，她无辜地微笑着，一口一个梦阳，并且以齐梦阳女友的身份声讨泽宁说：不理他，让他重新做饭，谁让他把饭烧糊了。

她四周看看，看到墙上挂着两人的结婚照，还有一张齐梦阳的单人艺术照，就开始大夸那照片如何好，由照片及人，说齐梦阳本人比照片更漂亮，又说了一通四川女孩都很美，广西女孩都很丑，不惜打击一大片，最后落实到自己长得像越南难民。蛛蛛天生喜欢长得漂亮的女人，从来不与她们为敌，后来屡次被误认为是同性恋，她对齐梦阳的赞扬完全是由衷的。她说：梦阳，我觉得你很像巩俐。梦阳看看她，反问：是吗？蛛蛛肯定说：真的。

（齐梦阳如果不发胖，真的很像巩俐，当年我看电影《红高粱》，巩俐第一个镜头就出现在银幕上，话外音说：这是我奶奶。这一瞬间在我的记忆中无比清晰，当时我只见过齐梦阳一面，巩俐一出现，我发现她从外貌到气质都很像齐梦阳。这个发现使我心头一惊。看完电影的第二天见到泽宁，我迫不及待地把这个发现告诉他，他说是，齐梦阳年轻的时候很漂亮。）

蛛蛛奇怪地看着齐梦阳，说：难道谁都没有告诉过你吗？不信你问泽宁。

她用手指着梦阳的眉毛说：眉毛眼睛最像，但你的脸形比她圆一点点。齐梦阳心里早有此一比，但周围的人谁都没有说，现在竟由林蛛蛛说了出来，禁不住就把她当成了知音。

梦阳心情好起来，到冰箱里拿出了梨子，削了皮，切成块，插上牙签，你一口我一口地吃了起来。蛛蛛又及时地诋毁自己说：我吃梨子从来都是整个啃，龇牙裂嘴，跟野蛮人差不多。泽宁说若要带我去见他父母，先要进行一周的礼仪训练。话刚一出口，又觉得自己说漏了嘴，便一吐舌头斜眼看梦阳。

梦阳倒笑了。她从柜子里拿出了自己的宝贝，一本很厚的集邮本给蛛蛛看。泽宁从厨房出来的时候，正好看到两个人头碰头地观看一张什么邮票，那份和谐的样子跟宝黛共读《西厢》相去不远。

遂逢凶化吉。

此后齐梦阳一直表现得很大度，既有丁北辰喜欢她，又有人夸她像巩俐，她心情一天比一天好起来。有一次，梦阳到图书馆看朋友，在蛛蛛的宿舍楼下看到泽宁的自行车，她就上楼敲门，蛛蛛也不吃惊难堪，问：是不是有事？梦阳说：我没事，看到泽宁的自行车在下面，顺便来看看。她环顾一周，不到一分钟就走了。

很快到了春节。

泽宁和梦阳商定，四个人分成两组过，把泽宁给蛛蛛，丁北辰则和梦阳一起。白天各过各的，晚上丁齐二人在齐家过，泽蛛二人则在齐家的楼上的一户人家里过，这家的主人是齐梦阳的同事，春节全家回老家过年，房子要空上一个星期，梦阳谎称她的表姐要来南宁，就借了同事的房子。

年初一，路灯彻夜通明，我和泽宁骑车返回齐梦阳单位的宿舍。零点已过，放鞭炮的人都已散尽，大院里一个人都没有，我和泽宁像特工人员一样潜入铁门内。铁门"咣"的一下，在寂静中震天动地。在我记忆中的个人电影里，这"咣"的一声犹如一只开关，它打开了我的恋爱生涯中奇怪的一幕。

我和泽宁停在他们家的门口，他示意我不要吭声，然后轻手轻脚地从门边的杂物间里拿出一只大塑料袋，之后，过家门而不入，我们继续往楼上走。

泽宁拎着的塑料袋鼓鼓囊囊的，好像藏着一个弃婴，这个念头使我立即从特工人员的自我感觉变成了一名贩卖婴儿的罪犯。我们鬼鬼祟祟走到了一扇陌生的门跟前，泽宁摸出一把钥匙，悄悄地开了门，两人同时闪进了门内。

我从来没有在一个完全陌生的人家里过过夜。陌生使我产生了一种悬浮感，我甚至觉得连泽宁都沾上了这种叫做陌生的东西，变得有点怪怪的。首先我觉得他比平时高瘦，然后我就看到了他的眼睛，这双眼睛特别像恐怖电影《午夜两点》里杀人的男一号，前不久我刚刚看过这部片子。我在墙上寻找这户人家的钟，转了一圈之后发现一只方形的黑钟就在床头柜上，再过五分钟就到午夜两点了。午夜两点，那是动手的时刻，一个男人开始行动，一件骇人的事情即将发生，是塑料袋里的弃婴被肢解，还是我被肢解呢？

要知道，许多刑事案件都是从爱情开始的。

各种奇里古怪的想法从额头跑出来又挤进去。忽然听见泽宁说：看看齐梦阳装了什么东西在里头。他把塑料袋往床上一倒，只见骨碌碌地滚出来几个金黄色的大橘子，个个新鲜光滑，喜气洋洋，一张陌生的床和一个陌生的房间立即充满了喜庆的节日气氛，塑料袋里的弃婴消失了，变成干净的寝具，床单和枕巾，隐隐散发着衣柜的淡香，还有泽宁的毛巾牙刷漱口杯子，一张《广播电视报》，一筒卫生纸。

她本人就在这些物品中微笑着，周到而妥贴，好像她的丈夫不是被别的女人抢走的，是她自己为了改变生活而作出的选择。

齐梦阳真是聪明过人。天下竟有这么好的老婆吗？难道一个崭新的时代就已经降临了？莫非一种新的生活观念和生活方式已然出现在了我们这蛮荒之地（相对于北京上海，南宁实在是很边远的）？也许我们划了时代而不自知？泽宁在陌生人的床上铺开了齐梦阳准备的床单，上床做爱就好像是她的召唤而非泽宁的召唤。

蛛蛛和泽宁在床上的样子已被齐梦阳看见过一次了。

傍晚的时候，两人正在图书馆宿舍的床上赖着，齐梦阳就来敲了门，当时的形势很像是抓奸，一男一女正在床上，是抓奸的大好时机。听到敲门声蛛蛛赶紧穿衣服，衣衫不整就去开门。

在昏暗的暮色中蛛蛛自嘲说：你看我多狼狈，跟被捉了奸差不多。

梦阳却说她是来通知泽宁，第二天丁北辰要找他谈剧本。

她问道：你们还没有吃饭吗？都七点了。蛛蛛说白天我们到西园玩了大半天，四五点才回来。

蛛蛛没有开灯，梦阳探头望了一眼灰黑的里间。

蛛蛛连忙让梦阳进去坐一会儿，说泽宁在里面。

梦阳不进去。

蛛蛛很不过意，正想把泽宁攻击一番，梦阳却要走了。

以上情景多么适合变成电影里的一幕啊！或者变成一出电视肥皂剧中的一幕，所以我特意模仿肥皂剧的写法，分行排列，让人一看就心有所感。

我从来没看到过这样的电影和电视，一个男人在他的情人的房间里睡觉，妻子找上门来，男人依然睡觉，妻子自觉回避自己的丈夫，站在没有开灯的厅里跟抢走了丈夫的女人友好交谈。

这两个女人的吱吱咕咕真像一片大雾，它使我看不清事情的真相，叙述起来甚别扭。

这件事情是道德，还是超道德？

是电影，还是超电影？

是女权，还是超女权呢？

我感到了无比的困惑。我宁愿它是一部时髦的女性主义电影，这样我就有可能走红，一走红就衣食不愁了。

言归正传。大年初一的晚上，我和泽宁在齐梦阳的同事家里睡了一夜，梦阳的床单和枕巾散发着她的气息，这使我觉得我们是三个人睡在了一起。这个感觉使我悚然心惊，此事离道德实在是太远了。但我又及时想起了丁玲，我依稀记得，曾经有一个什么材料记载过，这位新文学的先驱在青年时代就有过三人行的经历，好像是条件所限，两男一女只好在同一个铺上凑合了一夜。此事的真假还有待证实，但丁玲确是内心非常强大的女人，换了我我肯定不敢，我最怕成为一个道德败坏的女人，尤其怕别人的唾沫，我比其他人更容易被淹死。有道是：入佛界易，入魔界难（这话是从川端康成的讲话里看到的）。

但我特别喜欢虚构生活里没有的事情，一个裸体的齐梦阳正是我多年以后的想象。在那张陌生的大床上，在别人家橘黄色的床头灯下，梦阳的身体楚楚动人，她是那种丰盈的女子，身上各个部位都是圆的，看上去就像文艺复兴时期的绘画中那些裸体美人。

事实上，我真的看到过梦阳的裸体，不过那是照片。

照片是泽宁专门拿来给我看的，有十几张之多，他想让我也拍几张这样的照片，给自己留作纪念。那天是我的生日（我的生日在一月），我有生日照相的习惯，泽宁给我照完一卷之后回到我的宿舍，我十分兴奋，因为我预感到这批照片将会是我最好的照片（照片洗出来的时候我的确是这样认为的，但仅仅过了半年，我疯狂地爱上了程麻，程麻也替我拍了一卷照片，这些照片一下就把泽宁比下去了）。泽宁乘兴提出了他的建议，我大惊。

泽宁说，趁现在年轻，给自己的身体留一个纪念有什么不好，再过十年二十年，你的身体就会变得面目全非，腰也粗了，肌肉也松弛了，到时候你想看看自己年轻的身体就再也见不到了。

我没有被说服，泽宁当天晚上就拿来了齐梦阳的裸照，有两张是全裸，其余均是三点式。为了表明自己也是思想解放的新女性，我一把接过了照片，但我只看了一眼，脸上

"呼"的就像着了火，好像一头撞进了别人正在做爱的房间。我从未见到过一个认识的女人的裸体照片，虽然齐梦阳脸上一片纯洁，但她侧卧在沙发上的姿势多少还是让我感到有些色情。

泽宁见我脸红，又为身体辩解了一通，说，身体是最尊贵的，一点也不肮脏下流。他说拍完后他去借一个暗房，他自己冲洗，然后把底片毁掉，全部照片由我本人保管。

我还是不愿意，泽宁就没再坚持。

机会就这样永远失去了。

现在我已经不记得自己年轻时候身体的样子了，那一定是有着优美的曲线、在热恋中像植物一样开放的吧，有一点像齐梦阳，但比她瘦一些。

在我的想象中，在大年初一的这天晚上，齐梦阳就像她的照片那样，侧卧在我和泽宁过夜的那张陌生的大床上。记忆在浮动，它不如照片那样真实可感，所以照片上的那一点点色情都被过滤掉了。梦阳在床上的什么位置呢？是在我和泽宁中间，还是泽宁在中间，我和梦阳各在两边？从女权的角度考虑，我认为还是不要让泽宁在中间，这样看上去好像他有一大一小两个老婆似的，他又不是韦小宝（听我女儿说，韦小宝有七个老婆），凭什么要有这么多老婆呢。

梦阳在我和泽宁之间，她的身体几乎就要挨着我的身体了，她的头发又黑又亮，绸缎般地倾泻在枕头上，与她从家里带来的枕巾一起，散发出一种她特有的香气。她的臂膀、乳房、腰、臀、腿部各各凸起和凹陷，沉浸在微弱的光线中，饱满、圆润，反射着微光，像一片夜晚的森林里不同植物开放的花瓣，美仑美奂。如果我们和这些花瓣做爱，三个人的肢体纠缠在一起，这一画面就会变成一幅蛇结图，丑陋不堪。这使我意识到，性是一种腐蚀剂，所到之处，美将被消蚀。做爱是感受性的，只适合一对一的燃烧，多一个因素就多一份丑陋。

那些金黄色的橘子呢？想起橘子我就变成了顽童，就让我们三个人一起吃橘子吧，在床上吃和在沙发上吃都可以，总之是一人一个，这样比较文明。橘子的果香散发着现实的气息，我回到了大年初一的大床上，床上只有我和泽宁两人，我们吃完了梦阳的橘子，很快就睡觉了。

奇怪的三人关系留给我一种不真实的感觉，它们就像梦境，沉入在我的夜晚。

在那个短暂的冬季里，像阳光一样明亮的是西园，园中的番石榴、杨桃、红背桂，照耀着泽宁和我的脸，成为我们岁月的遗照。

西园是另一个园林式宾馆，比明园更偏远，也更神秘，以前是专门用来接待国宾的地方，西哈努克亲王来了，住西园，毛主席（这可不是国宾）来了，住西园。凡人想看上一眼西园，那就比登天还难。

毛主席和西哈努克俱往矣，换了人间。林蛛蛛身穿格子呢斗篷，招摇过市，骑着自行车一路冲进了西园，在大门口连车都没下，一昂头就进去了。如此没规矩，一是西园的门卫比较绵软；二是西园实在太大，差不多是明园的五倍，没有车就会走断腿；三是蛛蛛已经来过许多次，胆大气壮。

有谁会在大年初一跑到西园来呢？只有林蛛蛛；有谁

过年都不走亲戚呢？只有林蛛蛛。西园真是太好了，西园真是太大了，西园一个人都没有，真像蛛蛛和泽宁两个人的私人领地，他们是多阔气的庄园主啊！草地一片又一片，楼阁一座又一座；又有小桥流水，又有池塘水榭，园中之园，曲径通幽。既有蔽天大树，亦有奇花异草。更使蛛蛛惊奇的是，西园竟有她家乡的果树：番石榴树和杨桃树。

正是杨桃结果的季节，满树挂着这种青黄色的五棱水果，它们隐没在树叶中，猛一看好像没几个，站定来看，却是越看越多，好像这种水果是会传染的，一个一个传过去，所有的树叶都变成了杨桃。而杨桃树好像也会传染，一棵两棵三棵，竟一气能看到二三十棵，有一大片杨桃树。原来这是西园里的一个杨桃园。

一阵小风吹过，叭叭掉了好几个杨桃，先前掉落的已在地上铺了一层，有的已经烂开，散发出一种酸甜的气味。蛛蛛看看四周没人，一脚踩进去，瞄准大的，连拽带扯。蛛蛛觉得此番动作有一点像小偷，又有一点像强盗，她既紧张又兴奋，飞快地摘了七八个果子，又飞快地撤了出来。

松弛下来之后蛛蛛才想到了道德的问题，公园里的水果是给大家看的，这是从小就确立的观念，但是西园有大家吗？没有，水果有人看吗？没有。它们全都烂在了地上，真是暴殄天物啊！道德是什么？道德就是惜香怜玉。杨桃到了林蛛蛛手里，完全是适得其所，只有林蛛蛛才更知道这种来自故乡的水果怎么吃。异乡的人都是咬一口杨桃就吐掉，然后扔在垃圾里。蛛蛛始终认为：这种吃法是不道德的。

林蛛蛛化不道德为道德，化腐朽为神奇，她左手拎着杨桃,右手又采了一大把迎春花。一高兴她就唱了起来"红岩上红梅开,千里冰霜脚下踩,三九严寒何所惧,一片丹心向阳开。红梅花儿开,朵朵放光彩,昂首怒放花万朵,香飘云天外,唤醒百花齐开放……""风烟滚滚唱英雄,四面青山侧耳听,侧耳听。 晴天响雷敲金鼓,大海扬波作和声……"蛛蛛觉得这些歌词就像是专为她所作的,她唱了一遍又一遍。泽宁跟她并肩走在空无一人的园子里,搂着她的腰。

多年以后我还听见自己年轻的歌声缭绕在西园,满树的杨桃顺流而下,来到我的房间,它们一簇接着一簇,在墙上闪耀着金色的微光。

1998年10月,我在电影厂见到了泽宁。我到他家坐了几分钟,看到了他的妻子和女儿,他妻子年轻美丽,比齐梦阳苗条,他的女儿刚刚五岁,正在给英雄美少女画片涂颜色。泽宁送给我一枚英国的硬币作纪念,他去年到英国探亲,他的妹妹在八十年代到伦敦学声乐,后来留了下来,他的父母也都出去了。他说齐梦阳现在在海口,她嫁给了一个房地产开发商,有一年泽宁到海口出差,齐梦阳用自己的卡迪拉克带泽宁游了三亚。现在她偶尔还会给泽宁打电话。

第四章 东游记

一

　　我年轻的时候喜欢一种明亮的黄色。

　　比柠檬黄深一点，又比橘黄浅一点。我有一件黄色的上衣，双层夹克，这是我最喜欢的衣服之一。

　　穿着黑色的牛仔裤，理着一个奇怪的发型，一边非常短，另一边垂下来，盖住了半边脸。多年以后张尊还记得这个发式，每次他跟人感慨完了之后就说：林蛛蛛当年真是非常时髦啊，理着一个清汤挂面的短发。

　　发型的确标志着我的精神状态和生活方式。

　　那是专门为我设计的一种发型，我的女友方耘把她的两个搞美发的朋友弄到图书馆宿舍来，一男一女，男的左看一眼，右再看一眼，然后嚓嚓就把我的垂肩长发剪掉了。他边剪边说：保证好，你放心！

　　然后我就穿着我的黄色上衣和黑色牛仔裤，顶着这头在全城独一无二的头发游逛在南宁的大街上。在深夜里我像一个骑车的女巫，在白天，我则像一株奇怪的向日葵。

　　女巫这个词不是我说的。

　　但我很喜欢这个称号，我觉得它不同凡响、先知先觉、诡秘飘忽，只有在电影里才会出现，在我年轻的时候我特别喜欢当某种生活里不可能有的人物，这比称我为博士或学者更要令我兴奋。

女巫这个说法最早是李管说的，他是我早年的朋友中对词最敏感的人。

李管当时在桂林，我在南宁。那次他正好到南宁开会。有一天傍晚，我到王红家看她给小孩洗澡，结果一进门就看到了李管。

他劈头就说：林蛛蛛，昨天晚上我看见你了，头发挡了半边脸。我说：我怎么没看见你。他说：肯定没错，穿着你这件黄色夹克，单手骑车，另一只手插在裤兜里，半夜十二点，街上一个人都没有，特别像一个女巫，不是你是谁。

在白天，女巫消失，阳光一照，她就变成了一株向日葵。

现在我觉得我的衣服不再是那种难以描述的黄色了，它正是向日葵的颜色，在阳光下散发出炫目的金黄。葵花这种植物使我首先听到一阵歌声，"长江滚滚向东方，葵花朵朵向太阳，满怀激情迎'九大'，迎'九大'，我们放声来歌唱，我们放声来歌唱……"在歌声中万人集会、欢庆、游行的场面像海水一阵又一阵地涌来，我们手持纸做的葵花，成为这海水的一部分。

葵花是我们从小到大看得最多的花，它出现在银幕、舞台、墙壁、报纸、黑板、课本、信封、信纸、笔记本、像章、瓷盘、茶杯、脸盆上，并在我们的手上成为一种一开一合的道具，在游行队伍里，哨声一响，我们同时打开，葵花在我们的头顶一片金黄（如果我兴致不高，或者头晕，我就会觉得这片葵花是一片屎黄，屎黄当然是最难看的），哨子响两声，我们把葵花关上，一片黑脑袋重新露出来。

在南方，在我们的小镇上，我很少看见真正的向日葵，那种有着宽大叶子、焦黄饱满的圆盘、并且神秘地随着太阳转的向日葵，如果偶尔见到，我就会惊呼，并且停下来看上半天，我喜欢它那种动人的明亮。但在更多的日子里，葵花是一种简化了的符号，当它出现在信封上时，它是一个椭圆，周围是一圈小些的半圆，这使它看上去像一只蛋壳上沾了一圈虫卵，丑陋无比。这种图案铺天盖地，像泥沙一样多，在我八岁到十八岁，我完全丧失了对这种花朵的感受能力。

直到凡高在中国出现，向日葵才获得了再生。它们身上的颜色一层又一层，神经质的筋络动荡不已，犹如寂静中一声响镲，纯黄的花瓣在炽烈的燃烧中生长，在这时，真正的向日葵才从泥土中上升，成为不朽的事物。

在八十年代，我身穿黄色的上衣，微歪着头站立在旷野上的照片让我联想起一株向日葵，阳光强烈，天空湛蓝，我上身的纯黄在燃烧，头发在燃烧。但当我找到这张照片的时候，我发现我的身后并不是一片蓝色的天空，而是一片红色的壁画。壁画在一面山崖上，山崖从江水里伸出来，需要租一条木船才能到达。

我侧身站在崖画前，身后是密密麻麻的红色的青蛙，这张照片大概摄于1986年或1987年，地点是广西宁明县。在我的旧影集中，我身穿黄色上衣的相片比比皆是，它们分别摄于广西的百色、隆林、田林，云南的文山、马关、麻栗坡、富宁，广州、深圳、珠海、北京，影集里一片金黄，就像无数棵生命力旺盛的向日葵，开放在祖国各地。

由此我认识到，虽然我没有分到房子，我仍然应该感谢电影制片厂，它是我呆过的单位中最有趣的地方，它虽然没有给我房子，却给了我自由。

有什么单位不用上班就能领工资呢？有什么单位总是让你看电影院里看不到的电影，而又出钱让你到祖国各地到处走动呢？

我真是一个有福的人啊。

一只电影虫子掉进了电影厂，就像一条蚕掉进了桑田里，桑田无边无际，又肥又嫩又大的桑叶就像海水一样无穷无尽，我吃完一张又吃一张，最后我会变成一条蚕精，通体透明，金光闪闪。这样的福分从天上掉下来，像一张面饼，叭的一下就砸在了我的脑袋上，这件好事我在图书馆干活的时候真是连想也想不到。

我特别喜欢回想我到电影厂报到的那一天。

推荐、考核、面试，像风一样吹过去，我口袋里放着图书馆的介绍信，骑上单车，呼的一下冲上了七一广场。那是十一月份，南宁最美好的季节，酷热已经散尽，凉爽袅袅婷婷，所有的树叶都呈现出一种深秋的墨绿，所有的墨绿都变得更加肥厚，完全是一派丰收景象。

我走在大街上，就像一个农民走在收割的田野里，风是金风，露是玉露，满城的树叶都发出哗哗的喧响，它们一会儿把浅色的背面翻过来，一会儿又把正面的深色翻过去，这使满街的绿色深深浅浅，层次丰满。阳光在叶子上跳荡，绿色熠熠生辉，天地间一片辉煌，连世界上最丑陋的牛肚果（即木菠萝，外壳像牛胃，深棕色，有密密麻麻的凸刺）在秋天午后的光线下也变得像一面面金锣，在明亮的蓝天下当当敲响。

朝阳路、火车站、中华路，往左拐，衡阳路、友爱路，在友爱路尾，这个城市的尽头，马路的左边，就是广西电影制片厂。

淡黄色的大门，寂静而神秘，我穿过铁栅栏，穿过一大片空地，穿过花坛和收发室，一楼、二楼、三楼、四楼，四楼的左边就是文学部。

整个文学部静悄悄的，只有一间办公室开着门，我探头看见部主任一个人正坐在办公桌前，我说：我来报到了。主任说：好，好。他带我到二楼财务科，把我的工资关系交给一个女同志，然后领我到图书室借书。主任说：这段时间你的工作就是读书，先熟悉电影，每个星期一上午九点来开例会，星期六下午四点来扫地，其余时间在家。

然后就没事了。

我又沿着友爱路、衡阳路、中华路、火车站、朝阳路七一广场一路飞车回家，满街的叶子再次沙沙鸣响，纯银的音色在晴空中化作漫天的清流，从我全身敞开的毛孔长驱而入，直抵我的五脏六腑，我的身体溢满了因膨胀而轻盈的气体，有一种力量将我往上托，我既在浪涛上，又在空气中，所有的房屋大楼、电线杆、交通亭、垃圾筒，所有的树叶，连同牛肚果，统统都在说着同一句话 不用上班了！每天都能睡懒觉啦！

自由从天而降，朝辞白帝彩云间，泪飞顿作倾盆雨，便从衡阳到朝阳，李白杜甫和毛主席的诗篇像飞箭，嗖嗖掠过我的血液，发出噼噼啪啪的火光。

到了星期六，我就兴冲冲地去扫地。

已经有整整一个星期不去上班，我觉得不太对得起我的工资，于是把扫地当成了一件很重要的事情。想到厂里面积辽阔，荒草丛生，落叶满地堆积，我觉得要从四点扫到六点是很有可能的。

我早早就到了，文学部三个办公室都关着门，一个人都看不到，我没有钥匙进不了，只好在楼道里徘徊。我徘徊了差不多半小时还没看到有人来，于是我又从四楼到一楼，从一楼到四楼，上上下下走了几个来回，还是没有人。

已经四点过了，我有点着急，看到楼道里有一个半人高的大竹扫帚，拿过来就在楼道里扫了起来。扫了几下，又觉得一个人在这样一个陌生的地方扫地比较奇怪，有一种上不着天下不到地的悬空感。

我疑惑着放下了扫帚，重新下楼。我走到办公大楼旁边的橱窗跟前，那是一个要塞，谁来都要经过那里。我打算等到有人扫地我才扫，否则我无法确定自己在一个新单位的行为。

过了一会儿，来了一个文学部的同事，我向他打听包干区。他说，包干区就是你我脚下站的这块地方，没什么好扫的。说完他就到收发室看信去了。我左右看看，其他部门有人拿着扫帚陆续出来了，没有文学部的人，我内心感到无比孤独，如芒刺在背，有一种四面受敌之感。好在只是方寸之地，我几下就扫完了，我有些不放心，又去问别的部门的人。那人瞪着我说 你们文学部经常出差，包干区就那点。

扫完地上楼，文学部的秘书才来。

她告诉我部主任出差到北京去了，下星期一不用来开会，主任让她布置我看剧本并提出意见，但又没留下本子。

她让我先看看书，等主任回来再说。这样我就可以回家了。

这就是我第一次到电影厂上班的情形。

后来我才知道，这种整整一个星期不用来的情况是经常发生的。不管谁当部主任，都会经常到北京去，主任一不在家就不用来开例会，扫地也是不用扫的，一年扫两次就够了，"十一"一次，元旦一次，你一次都不扫也不会扣你工资。

有时候连着两三个星期都不用来上班，连你自己都忘了是电影厂的人，这时厂里却来了电话，说厂里发广柑橘子了，你快来拿吧，水果不能放。有时是白糖，一发就是十斤，有时是排风扇，一人一个。当年电影厂经济效益甚好，经常有东西发。我用自行车把一筐新鲜的广柑、橘子、芒果运回家里，整日睡大觉、写小说、谈恋爱，我边写小说边吃水果，每天要吃一两斤，这边刚刚吃完，那边又通知说厂里发水果了。

那真是我一生中少有的幸福时光啊！这样的好时光再也不会有了。为此我永远都要感谢广西电影制片厂。

假如厂里现在还能发得出工资，不但发得出工资还能给我分房子，而且不用坐班，假如有一天它说：林蛛蛛你回来吧！我一定会连滚带爬，昼夜兼程，像飞蛾扑火那样奔向它！

当然，这只不过是我的痴心妄想。

二

我身穿黄色衣服的照片有一张摄于广州，那是一身黄色的连衣裙，我歪着头站在东方乐园的门口，面带微笑，兴致十足。

广州是我的地盘，是包干区，占领地。

这么说来有点像军阀割据，这是当年大多数文学期刊的管理办法，我们的主任写小说出身，就沿用了这一套路子。我刚去不久，主任就给每个编辑分了责任区，有人分到了北京，有人分到了上海，有人分到了江苏和浙江，有人分到了湖北与湖南，总之人人分到了一块地，每块地看上去都肥得流油，只有我没有分到地。主任让我一个人看外稿，每周一来领几个剧本回去，下星期交上来。

这使我感到委屈。

于是我就去找主任，要求也分上一块地。

主任说，我本来是要照顾你，你一个女同志出门不方便。他沉吟了一会儿，说：也好，你单身一人，不用照顾家庭，出去走走吧，外稿就不用专人看了，分给各个责任区的编辑看。

他又想了一会儿，说：就分给你广东吧，广东只有广州可去，又近，还可以坐飞机去。

我大喜过望。

广州就这样奇迹般地降临到我的头上。

我对这座繁华的南方大都市一无所知，在那里没有任何一个我的熟人亲戚朋友，这正有利于我把它想象成冒险家的乐园（这一乐园本来特指上海，但在我眼里它就是广州），隐藏着各种有趣而有毒的事，各种有趣而危险的人，充满着种种刺激和意外，就像一座热带花园，一脚就能踩到几十种奇怪的草，一抬头又能碰着十几种鲜艳的花。

能不能看到妓女呢？

会不会碰到强盗呢？

如果我被暗杀了怎么办？

如果遇见特务怎么办？

这样一来，花园顷刻间又变成了陷阱，上面铺着一层优质的草皮，底下却是又黑又深的陷阱，布满了尖利的竹扦（我小学的时候表演过一个叫《削竹扦》的舞蹈，扮成越南姑娘，削呀削，削竹扦，削好竹扦打美帝。这好像就是当年的歌词，我因此对竹扦的锋利有深刻的印象），我觉得只要一踏上广州的土地，就会掉进其中的一个陷阱，只来得及大叫一声就完蛋了。

幸亏我及时地想起了电影《羊城暗哨》，由冯喆扮演的公安侦察员沉着冷静，机智过人，抓住了特务，广州重新变得安全。电影里的安全就是现实的安全，重要的是这份安全是冯喆带来的，冯喆外貌英俊，气质独异，是我特别喜欢的男演员，我对他的信任变成了对广州的信任。

一觉睡醒，我就要到广州出差去了。

我到厂办开了出差介绍信和购机票介绍信，找厂领导签了字，到财务室开了支票，又到银行取了四百元现金，然后兴冲冲去买飞机票。

本来是一大堆烦琐的事，我却觉得特别新奇有趣，因为又有电影又有广州，事情更加有所不同。人还在南宁，就觉得已经去了回来似的功名在身，至于功是什么功，名是什么名都是不知道的。总之是三分喜气洋洋，三分得意忘形，三分稀里糊涂，前后相加是一个刘姥姥，中间是一个傻大姐。

主任对刘姥姥兼傻大姐说：你可以坐飞机去，可以适当打的。这两件事在八十年代中期都是惊天动地的大事，我们厂真是财大气粗啊，简直就是一只宝葫芦，应有尽有，全是好事情。

于是我觉得自己坐在宝葫芦里一路飞到了广州。

这一错觉（或幻觉）在飞机上甚至得到了呼应。飞机上几乎全是黄头发的外国人，一上飞机我就有一种不太真实的感觉，我左右疑惑，东张西望，在恍惚中喝完了一杯不知是什么的甜水，就有一个空姐微笑着递给我一个长方形纸盒子，她像唱歌似地对我说：欢迎您乘坐民航飞机。她的牙齿比晴雯撕扇子千金一笑还明亮，之所以如此，我现在觉得她很可能把我当成从美国夏威夷归来的华侨，至少也是印尼华侨，我年轻的时候长得很像这类人，被误会的次数大概在十到二十次之间，而且当年国内不会有年轻女孩平白无故地坐飞机。

长方形的纸盒子在我手上沉甸甸的，就像刘姥姥拿着那双四楞象牙镶金筷子，觉得不伏手。刘姥姥说：这个叉巴子比我们那里的铁锨还沉，那里拿的动他（即它）！我四顾茫然，没有人说话，于是疑惑着打开纸盒子，包装纸里露出一只宝葫芦，我又惊又喜，连忙拿出来。原来是一套白瓷酒具，葫芦形状的酒壶，洁白细腻的瓷，上面绘有淡蓝色的兰花，此外还有四只酒盅，玲珑剔透。当我知道这是一份白送的礼物时，它们跟真正的宝葫芦儿乎就没什么两样了。

我欢喜地把酒具抱在怀里，刚才喝下去的甜水里的气体却翻上来，有一点要打嗝的意思，这时我表现出一个受过教育的文明人应有的教养，拼命深呼吸，把食道里的气体压下去。我刚压下去，它又涌上来，我再深呼吸，准备再压，这时就听说广州到了，只飞了半个小时，我从南宁的南湖骑车到电影厂也不止这点时间。

当天我没有马上进城。

临来的时候主任吩咐我，一下飞机，首先要做的第一件事就是买回程机票，不然就回不来了。我到售票处打听，人家说十五天后的机票要第二天才能订，于是我就决定在白云山的民航招待所住上一夜。

同室有两个女人，一个叫张锦，一个叫海洁。

张锦比我略大一点，人很黑，皮肤有点粗，脸上化着妆，眼睑画着又黑又细的眼线，我是第一次看到人画着这种类型的眼线，觉得有点怪，又有一点好玩。张锦说她会开摩托车，还学过开卡车，没学成，她要在广州转飞机到美国三蕃市去，那里有亲戚开餐馆。海洁是坐另一架飞机从杭州来的，她身体丰满，不像我想象的杭州瘦美人的样子，她说她是一个公司的经理，并夸下海口说，在浙江，她能办成任何事。

张锦兴致很高地不停说话，海洁却不作声，看看她，又看看我。吃饭时间到了，海洁坚决要请吃饭，吃饭时又坚决要喝酒，喝酒时又不由分说就要结拜干姐妹，各人报出生年属相，结果是海洁老大，三十七岁，张锦老二，三十岁，林蛛蛛老三，二十七岁。

海洁要的是一种散发出桂花香气的红酒，她用一只喝啤酒的大杯子，倒了满满一杯，一仰脖子下去了半杯，又一仰脖子就喝光了。喝了酒，眼睛变得水汪汪的，她一伸手，捏住了我的耳垂，她边揉边说：蛛蛛你的耳垂真圆真厚，捏在手里就跟捏一粒肉珠子，我真想一口吞下去。

她又捏我的胳臂，说：你怎么这么瘦。

我最不高兴别人说我瘦，我生气着说：我就是这么瘦。

海洁说：你别不高兴呀，我说谁瘦就是夸谁。她搂了搂我，又说：我就喜欢你这样瘦瘦的女孩，肉紧紧的，抱着就是舒服。

她说话的方式让我感到奇怪，我又不是她女儿，抱什么抱。

吃完饭，海洁让每人在纸上写上姓名地址，她则给我和张锦一人一张名片。

整个过程张锦都是笑盈盈的，海洁一说什么她马上就说好，我被裹挟其中，就像突然遇到了一场龙卷风，一忽儿吹到东，再一忽儿又吹到了西，人被抽去了重量，身体很不均衡，脑袋也迷迷糊糊的。

当晚我做了一个奇怪的梦，梦见海洁把上半身探到我的床上，她的脸很模糊，眼睛却放着光，她从眼睛里伸出一把手指大的小电筒反复照我的胸口、脖子和耳垂，最后她把电筒光停留在我左边的耳垂上，我梦中觉得自己的耳垂快速地胀大，变成了乳房的形状，沉甸甸地坠在我的耳朵上。

第二天一起床我就去订票，订完票后就跟她们告辞了。

我跟海洁的故事其实还没有真正开始，我们的缘分已经在暗中来到了，但我当时一无所知。

我打了一辆的士，这是我生平第一次打的。

我让司机带我去找广东文艺接待站，我事先听说这个地方环境安静价格便宜，而且专门接待文艺单位的人，但司机不知道这个地方，我们只好一边问路一边拐弯，找到接待站，却已经客满。

又找了一家。

四块二一个床位，且是五人间。我晕车晕得很厉害，自己拎着行李跌跌撞撞地靠在柜台上，在昏昏忽忽中要了一个床位，却发现是在四楼，我一步一蹭，摇摇晃晃地把自己及行李都拖到四楼的房间时，神智才终于清醒过来。

清醒过来我就发现这根本就不是一个住人的地方，光线昏暗，地面渗着水，枕巾说是已经换过，枕头却散发出浓重的汗臭味，五张床一边两张一边三张地紧挨着排，剩下的一小块空地放了一只油漆斑驳的脸盆架，没有电视，也没有电话，房门口人来人往，大呼小叫，还有人一手拎着一桶开水噔噔噔地走过去，水蒸汽飘过来，我闻到一股油腥味，这使我有一种置身于农村集市上的感觉。服务员又站在身旁，一再要求我把所有东西都交给她们保管，每件五角一天。

我心烦至极。

下午我决定去开展工作。

我在电影厂经历了三任主任，第一任是陈主任，他是文学界出身，凡事首先考虑要依靠文学，认为好的电影剧本都是来自好的小说。他从文学作者里挑选他的编辑队伍，他对我这样毫无经验的编辑说，到一个地方组稿，第一是要找当地作协，第二要找当地的文学杂志，第三要找的才是电影厂文学部。到了黄主任则正好相反，她在长影干了几十年，坚决认为小说和电影是隔行如隔山，外出组稿，首先要依靠的是专业电影编剧。第三任的侯主任，来自话剧团，他的观点是，每个人根据自己的特点发挥自己的优势，在他的手下，我感到最自由。

我首先到文德路广东省作协，当时文学院里有二十多名专业作家，我拿到了一份名单，上面有地址电话，并且当时就在走廊里找到了一个作者，他很想将他的一个小说改成电影。

从作协出来，我发现附近有一个省教育活动中心招待所，门面不俗而且清静，而且位置不错，我信步走进去，正好就有一个十三元一天的单间，有电话，有单独的卫生间，还有电视和地毯。我立即决定放弃上午才要的四元二角的床位，飞快回到江滨酒店，把行李一举搬了过来。

在接下来的日子里，就是打电话，见人，谈话；再打电话，再见人，再谈话。

我总是一觉睡醒就开始打电话，我不起床，也不拉开窗帘，房间里暗得像地洞。我半靠在床上，翘着二郎腿，我拨通一个号码，话筒里就会传来一个陌生的声音，听到陌生的声音我一点都不害怕，我朗声报上我们厂的大名，我们厂既有张艺谋，又有张军钊，新锐探索，拍出来的片子正在走向世界，风头已经在珠影之上。我们厂的名字，就是一块纯金的招牌，我手持金牌，所向披靡。

我见了许多作者，男的女的，老的少的，有点名的和没什么名的，今天这个来，明天那个来，更多的是我挤在公共汽车上跑遍东南西北。

我把广州的两条主要大道分别叫做长江和黄河，我每天渡黄河过长江，兴致勃勃，乐此不疲。有请吃饭的，我就吃；有请去玩的，我就去。我理着短短的头发，穿着短短的裙子，黑得像半个非洲人，今天去了黄花岗，明天就去越秀公园；兰圃里三个和尚若隐若现（据说兰圃是江青和外国记者谈《红都女皇》的地方），植物园里的仙人掌咄咄逼人；去了文化公园去博物院，去了白云索道去东方乐园，甚至连很难去的西樵都去了。又去有名的服装街高第街，买到的衣服有一件二件三件。

就差没去东海边的花果山了，就差没去神话里的莲花洞了，就差没变成孙悟空了。有了东游记，就让《西游记》见鬼去吧！

我又玩又工作，将以下单位跑了一遍：广东作协、《作品》杂志、《广州文艺》杂志、花城出版社、广州市文学研究所、珠江电影制片厂、广东省电视台、广东省人民广播电台，我的作者队伍多么广大！就像遍地的高粱，组成了茫茫无际的青纱帐，我置身其中，前望不到头，后望不到尾，完全是一片丰收景象。

我的日程排得满满的，日子贴着我的脸呼呼地飞驰而过，除了风声我什么都听不见，风声就是我的作者，就是广州的黄河长江，五光十色，五迷十道。

到了要走的时候我才想起来广州有两个人我是一定要去看的，一个是我的大学同学，姓马，在大学里我们关系不错；另一个是我在图书馆工作时的同事，姓李，李是一个有着惊世美貌的人，在同一幢平房里我们一起住过两年，她后来结了婚，调到了广州。

电话打过去，这两个人不光在同一个单位，而且还在同一个部门，我的同学是我的同事的顶头上级。我赶在最后一天去看望他们，我的同学准备到法国里昂开餐馆，他有一个叔叔在那里，餐馆有了，钱也有，护照已经办好，就等签证了，签证一下来，立即飞赴里昂，我此生就再也见不着他了。我的同事李仍然那么美艳，在女人身上我曾经见到过许多美的凋零，但我从未见到过美貌的不朽，只有李是一个例外，我见到的美女越多就越感到李的美艳，她当时刚刚生了儿子，但她的身材、相貌、气质仍处于顶级状态。

这次探望使我无限感慨。

中午我睡了一大觉。下午没什么事，我信步闲走，发现住地附近有一家电影院，正在上演新拍的《夜半歌声》。这是小时候常听大人说起过的电影，我大喜，立即冲到窗口买了票，一溜小跑进去，只看着了下半场。仍觉得广州之行功德圆满。

第二天一早，我就坐飞机回了南宁。

三

多年过去，回想广州这块沃土，我的责任田，无边的青纱帐随风起舞，在烈日下青烟升腾旋转，我的作者融化在这片我假想的植物中，面容模糊，我已经记不起他们的名字，也将他们的容貌忘记了。只有一个人，他的身姿在青纱帐之上，他的名字，则在我记忆的河流中，回环往复。

我对宋公良的好奇心最早来自陈青梅。

陈青梅是我们南宁的女作者，在圈内知名度甚高，她既写小说也写散文，才华出众，但她却不为本省文学界所容，尤其是作协领导，认为她的小说同情婚外恋，道德有问题，伤风败俗，而她本人因为旷日持久的离婚也被认为是坏女人，起码是生活作风不够好。因此她始终没能加入作协，她的小说和散文也总是不能在省报和省刊上发表，只有市级的报刊能容纳她。（八十年代中期，我们的写作环境就是这样的，我深深感到，我们的前辈用血肉之躯滚过了雷区，无数次的咒骂和封杀，无数次文字的灰飞烟灭，五雷轰顶，神损精耗，才换来了我们九十年代写作的自由权利。）但陈青梅却在大名鼎鼎的《羊城晚报》花地副刊上发表作品，一发就是大半版甚至整版的散文，有一次还连着发了两篇。

《羊城晚报》当年在南方影响甚大，陈青梅每在"羊晚"发一次文章，南宁的天空就会响起一声霹雳，害得南宁这边整日雷声隆隆。不光发表，她还得了"羊晚"的优秀散文奖，这就不止是天上的雷声，炸弹简直炸到了地上。天上地下，火光一片，南宁的大街小道噼噼啪啪，到处回响着陈青梅的名字。

有多少双眼睛对她视而不见，就有多少堆烈火在暗中燃烧。

火光之处，浓烟滚滚，有人说陈青梅跟花地的主编有不正当关系，说陈青梅本来就是一个荡妇，风流成性，跟谁都搞。人们总是在不同场合议论陈青梅，他们压低声音，脸上露出诡异神秘之色。

有一天，我终于见到了陈。那是一个下午，有人通知我到一个地方看电影《巴顿将军》的录像，那地方有一个很大的院子，我们早到的几个人站在树荫下等人。这时一个年轻女人走进来，她身材窈窕柔软，步履轻捷，头发挽成一个很高的发髻，个子也比一般女人高，有人告诉我她就是陈青梅。

知道她是谁之后我立即觉得她不够年轻，看上去有三十多岁了，也不够漂亮，没有我想象的漂亮。

但她没有走进树荫里和我们一道等人，只是冲人群中的熟人点了点头，就径直走进屋里去了。

她侧过头的时候我正对着她，离得很近，阳光斜射在她的脸上，我清楚地看到了那上面的细小皱纹，像头发丝那么细，浅浅的，布满在额头和眼角，看上去有一点触目惊心。

那是一种被毁损之后残存的美，时光、内心的风暴、他人，被这一切毁损之后仍然具有的美是一种最牢固的东西，被内心所支撑，从而散发出钻石的光芒。并不是所有的女人老了以后都是这样，很多人即使在年轻的时候也毫无光泽，老了之后更逃不出烂棉絮的命运，只有极少数的女人能光芒永驻，这样的女人是不朽的女人。

在黑暗中录像开始了，一面巨大的美国国旗布满了整个画面，这时陈青梅站在门口对一个坐在边上的人说：你慢慢看，我先走，少陪了。她的声音在静场中十分清楚，所有的人都听见了，不少人扭过头来看她，她颀长的身体在门口一闪就不见了。扭过头来看她的人都感到怅然若失。

现在我还记得她的声音，从容、婉转、富有磁性，听到这样的声音你就不由得要转过头去。尤其是"少陪了"这种说法，我感到十分新奇。我是一个没有见过世面的女孩，从来没有在现实生活中听人说过这一礼仪用语，在我的心目中，这是一句电影里的话，这句话应该出现在重庆或者南京，在国民党官僚资本家出没的场所，由一个少将或一个遗老双手打揖的时候说出来。

而陈青梅化腐朽为神奇，她一挥手，就把它从电影里召了出来，她再一挥手，它就在我们的头顶上飞舞，她在一根枯藤上变出一朵鲜花，又在鲜花上变出了蝴蝶。这种过渡十分自然，好像原本就是她的东西，她不过借给了别人。

那个传说中跟陈青梅有关系的副刊主编就是宋公良。

当时除了陈青梅，在"羊晚"发表散文的广西作者还有几位，都是在本地受到冷遇的，这一事实使宋公良既像青天大老爷，又像帝国主义，还像外星人。于是我就给宋公良打电话。他说：好，南宁来的，我去看你吧，你等着。

过没多久他就到了，他个矮额头大，真的有点像外星人，这使我感到比较有趣。我拼命往他的脑袋上看，想找到两根又细又长、富有弹性、顶上有两颗小棒槌的天线。我认为外星人都应该有这类装置。

这时宋公良自己已在椅子上稳稳地坐下来了，我看着他傻笑，忘了给他倒水。

他从容问道：你笑什么？

我说不笑什么。这时我忽然发现他名字的谐音叫"送公粮"，于是我又笑了起来，我告诉他我上中学的时候演过一个舞蹈叫《喜送公粮》，从头到尾就是挑担子，两手半握，一前一后伸直了上下晃悠，穿梭着变换队形，另外的动作就是抹汗，左边一抹，右边也一抹。

他微笑着说：那不叫舞蹈，舞蹈是美好的。

我说：那就叫它体操吧。

他说：一种丑陋的体操。

我又问他是否看过这个舞蹈，因为"文革"中全国的舞蹈大都一样，送公粮这个舞虽然不是全国性的，但它是我们的文艺老师根据一首著名的笛子独奏曲《扬鞭催马送公粮》改编的，这是当时唯一的笛子独奏曲，只要节目里有笛子独奏，肯定就是它。

宋公良却说他没听过这曲子。

我觉得十分奇怪，就问他是不是从来不看文艺演出。结果他说五几年到七几年这段他是在监狱里，前后关了二十多年，直到七九年才出来。他本来判的是死刑，在死囚里关了两年，后来又改为了无期徒刑。是政治犯，反革命罪。

我十分震惊。

我从来没有见过一个被判过死刑的人，死囚，那根本就是电影里的人物，不是十恶不赦的魔鬼，就是把牢底坐穿的革命者，他们戴着《红灯记》里李玉和那样的手铐脚镣，走路铁链拖地，发出刷啦啦的声音，十分富有戏剧性。

而宋公良文人气质浓重，脸上不但没看到有什么伤疤，看上去气色比一般人还要好些，而且他思维敏捷，实在不像坐了二十年牢的人。

我觉得这简直太神奇了，与一个坐过二十年牢的人相比，外星人微不足道。

默坐了一会儿，我慢慢说起电影剧本的事，后来说到广西的作者，脱口而出就说到了陈青梅。他说陈青梅去年来广州领奖，他跟她接触了两天，他喜欢她的性格，敢爱敢恨，有血性，他感叹说青梅太不容易了，她丈夫打她，不让她写东西，她一手抱着孩子一手写字，女作者好容易写了篇文章发表出来，又被说东道西，硬说是用了不正当手段。

我回南宁不久，就陆续听到了宋公良和陈青梅婚外恋的事情。他们双双闹离婚，在两地影响很大。宋公良为此被调离《羊城晚报》，到一家不知名的杂志去当副主编，陈青梅则不管不顾，一有机会就往广州跑，她先到暨南大学中文系当了两年插班生，之后留在广州给一家报纸拉广告。经过波澜壮阔的八年抗战，两个人终于结了婚。这是八十年代的爱情故事，九十年代我就再也没有听说过有类似的事情发生。

我和宋公良坐在房间里一聊天就是两个小时，我仍有些意犹未尽。我眼巴巴地望着宋，宋便说：这样吧，东方乐园你去没去过，明天我带你去玩上半天。

我大喜。

傻女孩林蛛蛛，一听说要去玩就欢呼雀跃，如果她生在九十年代，她就会像我的女儿一样，手心朝上，高举过头顶，大声叫道：yeah——！八十年代的欢呼就是三个字：太好了！现在看上去这三个字仍然显得平淡，不如一个yeah充分表达激情，语言真的是在发展，时光真的是在流动啊。

宋公良一走，林蛛蛛就开始在房间里乱转，东摸摸西蹭蹭。她看看衣服又看看鞋子，看到鞋子她就有事情干了，她穿的是一双塑料凉鞋，鞋面由四道爪子组成，里面存了一些灰尘，于是她跳起来，冲到卫生间洗鞋。水龙头哗哗一开，林蛛蛛就唱起了歌，她唱道：你来到我身边，带着微笑，带来了我的感觉，我的身边，早已有个她，噢，对你说声道歉。

这是八十年代的流行歌曲，大街小铺终日放个不停，无意中就被灌注，无意中就自动冒出。大声唱完了一段之后，林蛛蛛才发现有点不妥，她又要唱别的歌，又觉得不妥。最后她找到了电影《英雄儿女》里的歌，"风烟滚滚唱英雄，四面青山侧耳听，侧耳听，晴天响雷敲金鼓，大海扬波作和声……"林蛛蛛感到这才是她要唱的歌，晴天响雷敲金鼓，大海扬波作和声，多么辽阔的激情，多么充分的快乐。

一觉睡醒，林蛛蛛就出发了。她穿上她洗干净的塑料凉鞋，背着她那又长又大垂在腰下面的书包，挤上了公共汽车。来到碰头地点，宋公良已经在那里站着了，他手里拿着一个布口袋，袋子塞得鼓鼓囊囊的，宋说：这都是单位发的饮料，喝不完。

又挤了一趟车，就到了。

事先我并不知道东方乐园是什么东西，既然叫乐园，我想它就是冒险家的乐园什么的，像一个黑暗中的玻璃球，五光十色；又像一个巨大的玻璃缸（像金鱼缸一样），里面装着稀奇古怪的东西，比如赌场、妓院、杂耍、京剧、粤剧、拉洋片、芭蕾舞，我们绕着这个玻璃缸走上一大圈就能看个齐全，但也许是每样好看的东西都藏在一个地洞里，买了门票才能进去。总而言之，乐园应该隐没在黑暗中。这就是我当时的想象力，这种想象来自电影。

我怀着地下工作者的心情挤在公共汽车上，车外青天朗日，没有哨卡和敌人，街上的行人、高楼和汽车样样都正常，这真让我感到不可思议。但是却到了。

东方乐园出现在我的面前，它使我大失所望。

我不明白它为什么变成了一个游乐场，各色彩旗低头低脑，各路人马吱哩呱啦，过山车轰隆隆地从头上驶过，巨大的风车上坐着人，忽悠忽悠地转。也有一个山洞，洞口竖着印第安人的图腾柱；也有一个玻璃缸（我如果不把它叫做玻璃缸就不舒服），却是滑冰馆。但我就是觉得它们白白消耗了乐园这一光辉的名称。

我的赌徒呢？我的妓女呢？我的叛徒呢？我的宪兵呢？在大白天里他们消失得无影无踪。

我问宋：为什么这里会叫作东方乐园？

宋微笑着说：这里就是东方乐园。

我闷着头往里走。忽然，我闻到了空气中的水腥味，我像一头发现了猎物的豹子，全身的器官迅速变得机警起来，我朝水腥传来的方向奔跑，漂白粉的气味越来越浓。很快，一池清水出现在我的面前。

看到水我就放下了心，所有的烦躁和失望顷刻一扫而光。

清亮的水像一群欢乐的小鸟向我飞来，它们钻进我的胸腔并在那里发出咕咕的叫声，我知道，它们就是我身体里失踪已久的一部分。池子里的水使我满怀感动，脸上露出幸福的笑容。

宋说：你若喜欢，就去买一件游泳衣吧，我在外面等你。

于是我去买游泳衣，我挑中了一件红白细道的，然后举着跑到宋跟前给他看，他说：很好看。于是我托他帮我拿着书包，欢天喜地地去换衣服了。

穿着游泳衣出来，栏杆那里却不见了宋，我低头看看自己，陌生的泳衣穿在身上有点像一只红蜘蛛，让我觉得怪怪的。一道宽宽的水帘横在脚前，我一咬牙踩进去，一股浓重的漂白粉的气味闭头闭眼地扑过来，一直呛到嗓子眼里，与此同时，冰凉的水柱从我的头顶心直灌下来，我像触电似的全身一震，险些惊叫出声。

我昏头转向地从水帘洞出来，感到身心饱受摧残。等回过神，才发现这池清水根本就不是游泳的地方。

不知从哪里出来的水浪，一阵接一阵地横扫过来，把人撞得直趔趄，撞到岸边击起高高的水花，好像突然间刮起了台风。水池里还有许多乱七八糟的东西，一个巨大的管道扭了好几道弯，像一条黑龙，龙嘴里不时吐出人来；有一个像小土坡的圆台，顶上有一只巨大的花洒，不停地喷水，有人半躺着顺水而下，从斜坡落入水中。

我站在池子中间，感到无所适从，就好像出门参加朋友聚会，到了地方却发现一屋子全是陌生人，对，一池陌生的水正如一屋子陌生的人，我不知道该跟谁说话，说什么话，不知道自己应该坐在哪里，口喝得要命却不知道哪个杯子可以用，我既紧张又焦虑，备感压抑。

片刻，我忽然看到了一座有几层楼高的水滑梯，上面有几个字，叫做"彩虹飞渡"，滑梯是我之所爱，水是我之所爱，彩虹也是我之所爱，三爱集于一体，正是我梦境深处的东西。我常常梦见水，也常常梦见彩虹，但从未梦见过彩虹般的水滑梯，它简直超出了我的梦想。

喜悦从我心里漫涸到我的四肢，我腾云驾雾般地朝我的梦境走去。它实在是太高太长了，以至于接了两道彩虹。我走在舷梯上，越往上走风越大，真像走到了天上。

当我站在彩虹的一端往下看时，下面的人已经小得不

120

像真人，水面的声音也好像离得很远了，我身穿游泳衣，孤零零地站在几层楼高的地方，内心充满了恐惧。有两次我站到了水滑道的边缘都退了回来，第三次我强迫自己坐到了滑道口，我准备一点点地把身体往下送，但我的双腿刚刚往前挪了一点，腾的一下，整个人猝不及防地一下滑了下去，我还想回头，但人已经飞了出去，越来越快、越来越快，心已经从嗓子眼里跳出来悬在了空中，我的身体是空的，而且好像它已经不见了，我觉得我就要死了，必死无疑，我闭上了眼睛，发出了一声骇人的惊叫声，随着叫声我感到心回到了身体里，身体重新又是我自己的了，与此同时，我像一块从山上滚下来的大石头，"咚"的一下落入了水中，四面八方的水顷刻把我封死。

从水里钻出来之后我惊魂未定，在池边坐了半天。

这就是我的高峰体验。峰虽不高，体验却是极致。我再也没有去试第二次，一次就足够了。

我换好衣服出去，在一棵树底下的石凳上找到了宋公良，他建议我照一张相作纪念。于是我在东方乐园的摄影部照了一张单人照，这是我此次广州之行唯一的一张照片，我一直保留至今。

四

第二次到广州去是坐大巴，跟厂里的二十几个专业人员，包括导、摄、美、编等，到广州去看苏联电影回顾展。一车人就像一个摄制组，又像一个参观访问团，有领队和副领队，有两个司机，有剧务，专门管联系吃饭睡觉的，还有医务室管药箱的，样样齐全。

在车上整整坐了两天，在岑溪住了一夜，在路边小店吃了好几顿饭，又抄了近道开过去。路上见了无数穷乡僻壤，一片又一片用茅草盖顶的泥砖屋，一片又一片的田野池塘，有牛有猪有狗，有鸡有鸭有鹅。等到了广州，全车人都觉得就像到了巴黎。

司机头一次到大城市，一看到立交桥就紧张。桥有上中下三层，一不留神，该上二层上了三层，该上三层时却又上了二层。

天已经黑了，全车人饿着肚子帮腔说：广州的立交桥简直太不像话了。正说着，立交桥又到了，全车人都身体前倾，高度注意，有人说：往中间往中间，有人说：往最高那层，司机无所适从，呼的一下，又开错了。

大家又说：没关系，掉个头就行了。又有人赶紧说：千万不要随便掉头，广州规则很严，要重罚的。只好到下一个十字路口再掉头，不料又是一座三层立交桥，一上桥又错了。

车子越开越远，东南西北都已经转昏了，又不敢停下来问人，只好一路开下去。最后，黄花岗住地终于到了，只是已经快晚上十点了，在广州郊区的时候才不过五点钟，在市里塞车加迷路，足足走了有五个小时，上一顿饭是上午十一点多吃的，这时谁都饿得两腿发软，而打前站的人久等不来，以为必是出事，已经准备打长话回厂向领导汇报。

黄花岗是多么好啊！

大家认为，既然饿了十个钟头，一定要吃点好的，什么是广州最好吃的东西呢？有人说是烧鹅，于是就吃烧鹅。

黄澄澄的、油汪汪的、香喷喷的，又鲜又脆又甜又甘，浇上了柠檬汁，洒上了绿葱花，真是天下第一美味，比北京烤鸭好吃一百倍！写到这里，我的口水都要流下来了，流下来是对的，对美好的东西无动于衷的人一定是铁石心肠，我们理都不要理他。

吃过了烧鹅睡过了觉，第二天我们就要工作了。我们的工作就是看电影，每人发了一套票，下午两场，晚上两场。

看了整整一个星期，昏天黑地。现在还记得的只有几部，一部是《秋天的马拉松》，另一部是《丑八怪》，又译成《稻草人》，把儿童片当成史诗来拍，是此次影展中我最喜欢的电影。有两部由苏联著名作家舒克申编、导、演的片子，我已经毫无印象，倒是有一部叫《奖金》的现在还记得，这部电影从头到尾就是一个会，一点别的画面都没有，根本没法看。

有天下午电影散场的时候我在剧院门口碰到了陈青梅，他乡遇故知，两人都很高兴。天下着雨，她推着自行车，用她的雨披替我挡着，一直把我送到住地附近。空下来的时候我给宋公良打电话，结果他出差去了。

大多数时间都是集体活动，领队兴致很高，领着大家去参观白天鹅宾馆，看总统套房，又去看花园酒店，里面的商场有许多珠光宝气的衣服，价钱昂贵。之后又全体去南湖游乐场，看全景电影。

大家躺在地毯上，戴一副特制的眼镜，第一部片子是外国的民族舞蹈，看上去像是罗马尼亚或南斯拉夫那一带的，女人穿着色彩鲜艳的大裙子，不停地单腿跨过我们的头顶，她们的大腿隐没在裙子的阴影里，我怎么看都看不清楚，等她们不跨腿的时候，影片就结束了。

　　紧接着是一部太空片，黑暗、宇宙、星云、星星，各种形状不一的松软的发光体从我的身旁无声飘过，一直飘到我的身后，我越飞越高，速度也越来越快，星云纷纷掠到身后，就像坐在高速行驶的列车里窗外飞驶而去的树木，但这并不是列车，而是太空，我感到自己被卷进了一个旋涡里，吞噬一切的宇宙黑洞正在前面张着大嘴，身体被一种力量吸着往上飞驶，眼看就要进入黑洞，马上就灰飞烟灭了，突然咚的一声，机器关掉了，灯亮了，置身其中的太空踪影全无，大家纷纷坐起来，说：真是惊险！

　　然后就要搞一次学术活动，一车开到珠江电影制片厂，听专家讲座。疯玩了几天，每个人心神都散了似的，眼睛无光，呵欠连天，大家都说：专家和学术都是世界上最讨厌的东西。

　　好在学术一完，第二天就要到深圳了。

　　深圳在八十年代是一个特别迷人的名字，一个当代传奇，谁都想去看上一看。结果到跟前一看，竟是无精打采的一个地方，萧条荒凉，街上几无行人，许多高楼建到一半就停在那里，露出半截惨灰的水泥墙，龇着黄锈斑斑的长短钢筋，裂着嘴，豁着牙，瞪着洞黑的眼睛，完全是一副死去十年五年的样子。也有建成的巨楼，但是空自兀立，没有人气，虽新犹旧，奄奄一息。

　　深圳街头，万户萧疏鬼唱歌，成片被中途废置的现代化高楼，比被瘟疫劫掠的村子更令人触目惊心。夜晚的大街上黑灯瞎火，零星的路灯被淹没在黑暗的汪洋大海之中。

在黑暗中我们摸到了华丽宫大酒楼，那是在深圳的八一厂导演应旗为我们联系的，不用花钱，大家喝过了茶就开始跳迪斯科，那种像鬼一样闪动的灯光我们从来没有见过，它使每一个动作都变成了定格，几乎每个人都上场了，最不爱说话最老实本分的人也晃到了场上，有一种世界末日醉生梦死的感觉。

第二天过海关到大名鼎鼎的沙头角中英街，每个人拿着特别通行证，四五个人一组，过了关就各走各的。

本以为中英街很神秘，像某部电影，走着一些英国绅士，有高头大马和如画的草坪，以及许多我们暂时说不上名字的洋玩意。到了跟前，一个洋人也没有看到，洋货却有的，多得很，竟很不像样地堆在地摊上，分别是丝袜、丝袜、丝袜，力士香皂、力士、力士，麦氏咖啡、麦氏、麦氏，此外还有成堆的折叠伞，乱七八糟的衣服和奇里古怪的水果。

大家纷纷扑上去，就像不要钱似的狂购一通。

来之前都已听说，到了深圳一定要多买些丝袜，又便宜又好带，回去可以送人。本以为要港币才可购买，一听人民币也行，人人都立时胸有成竹，二十二元港币一打，按七五折算，合人民币十六元五角，虽然好像并不便宜，但看到谁都是成捆地拿在手上，不买实在是吃亏得很。一不作二不休，买了再说。最少的也都买了二三打。回到住地打开一看，全都是长不长短不短刚到腿肚子的那种，根本就不能穿。

下午正在睡大觉，忽然听说有我的信。原来是徐敬亚托应旗带来的，约我上他家玩。于是我冒雨找到了他们家。

王小妮站在门口，她披着垂腰长发，穿一件宽大的男式衬衣，非常漂亮。

王小妮是我大学同学刘迅的中学同学，在大学的时候我就看过她写给刘的信，是用铅笔写得飞快的那种，很有才气。

此前我见过王两次，一次是她到桂林开诗歌会，我与她同室，在我眼里，她是一个十分自律的人，夜里为了不影响我睡觉，她连床头灯都不开，她把纸放在自己膝盖上，摸着黑写作。有一个晚上突然起风转凉，她从柜子里拖出了两床棉絮，一床还像棉絮，另一床则可以称为鱼网，里面的棉花差不多没有了，只剩一些纵横的网线互相缠着。王小妮把好的那床棉絮盖到我身上，她自己用了那张鱼网。当时她是国内最知名的女诗人之一，影响仅次于舒婷。

另一次是王小妮到南宁来组稿，住在明园饭店。我去看她，第二天带她到南宁市文联，她温和地对待一个不懂文学的老头，跟他说起自己的爸爸。她组的剧本叫《怪圈》，是南宁的一个女作者所写，用今天的说法，那应该算是一部女性电影，讲的是几个独身女人的生活故事，后来长影拍成了电影。

王小妮比原来瘦了一点，徐敬亚则有点见老。

他们两口子有调广西电影制片厂的打算，仔细问了我关于房子、物价、人事关系、工作状况等问题。当时，《深圳青年报》已经停了，徐敬亚闲着，王小妮则给一家不沾边的公司干活。

他们留我吃饭，饭后聊天，徐敬亚说年底清理旧杂志，看到《人民文学》上有我的一篇小说，他说看来你还是挺稳健的。我不解，问他稳健是什么意思，他说稳健就是中庸。

晚上仍下雨，两口子打着伞，把我送到 3 路公共汽车站。此后十几年，我再也没有见到过他们，互相之间也没有通音讯。

第二天从深圳坐海船到珠海。

那是我第一次坐海船，"奔驰在辽阔的大海上"，这句歌词以嘹亮的男高音反复回荡在我心里。结果大海一点也不像大海，水很浑，又黄又浊，一看到这样的海水，头立即就晕了起来。

一路晕船到了珠海，珠海却是好的，依山傍海，山上有松树和又圆又大的石头，空气干净新鲜，人口密度小，真是适合居住的好地方。第二天去巩北，每个人都以澳门为背景照了一张相，又到一座新式的园林商业城九洲城去，我在一棵柳树底下的大石头上睡了一觉，没有逛商城。

然后就从珠海开大巴到湛江，五百多公里，走了十三个钟头，中间还过了一个渡口。次日全体去坐巡逻艇，"奔驰在辽阔的大海"的豪迈歌声重新回到我的嘴边，但我发现歌词其实是"骏马奔驰在辽阔的草原"，不过把草原记成是大海也不算荒唐离谱。

在湛江我特别想念我中学时代的物理老师，他是我十五至十七岁之间的暗恋对象，也是我们班女生的暗恋对象，当年听说他要结婚，许多女生都痛不欲生。他后来调回了湛江，多年没有联系，已经很难找到他了。第二天又是凌晨三四点起床，坐了一天大巴回到南宁。

五

第三次去广州有点像一个梦。

那是在夏天，那一年我不再穿黄裙子，而且头发也已
经长长了。

那年我特别喜欢白色，我买了三条白色的裙子，一条
连衣裙，两条半截裙。在穿半截裙的时候，我上身仍是白色
的上衣。

我就这样长发飘飘一身白色衣裙游荡在广州的大街上。
现在我凝视着多年前的这个形象，觉得她就像一位神仙，或
者一个鬼魂。电视连续剧《东游记》里的吕洞宾和何仙姑都
穿着一身白色的袍裙，他们飘飘洒洒地飞翔在天空中，而
地府里的幽灵（有时他们不在地府里，而是被妖怪放出来
咬人）亦是全身皆白。

我亦仙亦鬼地走在广州的大街上，我已经是熟门熟路，
我应该是联系了不少作者，拿回了七八个剧本，但我对这
些都毫无印象了，或者说，我一点也不想记起它们。只有海
洁，那个在白云山民航招待所偶然相识的杭州女人，她的
身高和体形、她的睡衣、她冰箱里的盒装鲜奶，连同战栗、
不安与迷茫，呈现在那个夏天。

这一切看上去就像一部电影，一部只有两个人的电影。

有一天我百无聊赖地在北京路上闲逛，忽然发现一个
身材修长的女人在马路的对面盯着我，她戴着一顶特别大
的草帽，还戴着一副墨镜，整个脸只露出了一个下巴，我肯
定我不认识这个女人，她的肩上还挎了一只米色的包，但

她没在走路，而是停在那里，她的脸正对着我。我往前走了几步，感到她的眼睛还停留在我的后脑勺上，我回头看她，她冲我点点头，于是我走过马路。

这种生硬的接头跟所有关于地下党电影的场面完全一致，看上去有点不像真的，但是千真万确，我和海洁就是这样邂逅相逢的。

北京路的那个十字路口我现在还记得。1997 年 12 月，我参加《花城》杂志的笔会来到广州，发现那个地方盖起了一家性用品商店。我对性用品这种东西没有平常心，觉得它不适合纪念我和海洁的重逢，我一厢情愿地希望这里长出一株玉兰树。

海洁把墨镜摘下来，我马上就认出了她。

我们一路步行到了文德路省教育活动中心招待所。我说这次没有住上单间，住的是四人间，心里有点烦。海洁说她这一段时间长住广州，在沙河那边借了一套房子，不如我去与她同住。我犹豫了一下，决定去，立即收拾了行李，结了账，她则帮我拎着我那只牛仔布旅行袋，我们打了个的，一路到沙河去了。

房子是一个机关的宿舍楼，海洁借住一楼的两室一厅，很是阴凉安静。安顿下来后发现已经到了吃饭的时间，我们决定下一点面条吃，海洁是杭州人，却喜欢吃面条，她说她爸爸是东北人，小时候全家在长春。

冰箱里有一点豇豆，我拿水冲了一下，就在案板上用斜刀切细，我小时候经常吃这种切细了清炒的豆角，炒得绿绿的，甚是爽口。海洁又找出两只鸡蛋和两根香肠，居然还有几根小葱，我将香肠切片，将葱切成葱花，用蒸锅将香肠蒸熟，用炒锅将豆角炒好，然后就下面条，在面条里放了荷包蛋，关了火之后放上葱花、味精、香油，还放了一丁点生抽，厨房里立即弥漫了诱人的香味。

两样菜很快摆上来，一红一绿。

海洁又从冰箱里找出一瓶蟹酱，说是她在上海买的，特别香。我奇怪世界上居然会有人把螃蟹这种东西做成酱，看样子就是又腥又臭，我用筷子头沾了一点放到舌尖上，一股咸腥差点把我呛倒。

两人吸溜吸溜地吃着面条，我连声说好，搞得气氛甚热烈。

饭后我忽然想起几次来广州都没看见妓女，就提议海洁领我到有妓女的地方。我对这种出卖肉体的女性一直有一种特殊的兴趣。九十年代我有一次到海南去，听说海口宾馆妓女最多，俗称"停鸡坪"，于是刚刚住定就直奔海口宾馆，在大堂里我看到了许多年轻女子，除了个别人有点像鸡，绝大多数外表都很良家。所以尽管我见着了这么多，还是认为自己没见过妓女。

海洁说：你怎么像是比嫖客还着急。

我说我要观察生活写小说啊。但我心里觉得见到妓女比写小说更重要，一个人如果一辈子都没见过妓女，绝对是一个大窟隆空白。

在我看来，见到妓女比见到电影明星本人更不容易，明星在明处，妓女在暗处，像间谍一样消失在汪洋大海之中，而且只有在离资本主义世界最近的广州才会有，而且我觉得她们很快就会被强大的无产阶级专政所消灭，我再也见不到她们了。

我们来到一个叫做银都的电影院附近，据说这里常有妓女出没。但我们到得太早，一个也没看见。

便决定先看一场电影。

当时正在上映的是根据高晓声短篇小说《李顺大造屋》改编的同名影片，说的是农民李顺大几十年造屋的艰难曲折，一部彻头彻尾的农村片。对于在广州银都放这样一部片子我觉得十分奇怪，我觉得它应该放《庐山恋》《待到满山红叶时》，或者干脆放武打片，这样才跟这里的气氛相谐调，同时我又暗暗庆幸，言情和武打都不是我之所好，反倒是农村片我向来觉得较有味道，纵使有千般不是，画面上总会有足够的青山绿水，比较赏心悦目。

买了票出来还不到九点，我们便在影院门前的大街上闲逛。

忽然，迎面风风火火地来了一簇人，中间的那个年轻女人穿着一件化纤的黑色连衣裙，上面闪着一些亮片，她的头发烫得乱糟糟垂在肩膀上，人又黑又瘦。她身旁的女孩倒秀气一些，但身上屎黄色碎花的裙子又使她看上去有点脏。我正要认定她们是妓女，两个小孩忽然窜到了她们的脚边，一个大的，有八九岁的样子，一个小的，最多四五岁，都是男孩，而且我还看到在她们后面一两步远的地方有一个男人跟着一块走，她们有时回过头跟他大声说话。

这一奇怪的阵容完全超出了我的想象，我望着海洁，感到又委屈又困惑，好像我明明要买荔枝，她却给了我菠萝。

影院门前的空地上渐渐聚了人，我和海洁站到台阶上，这是观望的最好位置。

他们几个人这时已经分散了，男人牵着小的孩子，闲散地踱步，两个女人昂首挺胸地在人堆里走来走去，有一点招摇，有一点英勇无畏。她们买来了瓜子，单手举着，龇牙裂嘴地嗑，又动作很大地吐出瓜子皮。那个八九岁的男孩窜得最猛，像一条机敏的狗，东嗅西嗅。

在十几分钟的时间里，我期待的妓女跟嫖客讲价的场面没有出现，男孩和男人拉皮条的场面也没有出现，但电影就要开映了，我觉得还是应该进去看电影。

影片的厂标刚刚打出来，我意料不到的场面再一次出现了，入口处呼啦拥进一帮人，有点乱糟糟的，我扭头一看，正是他们几个，仍是那种雄赳赳的样子，从后尾一直走到最前头，又从前面往两边走，再从中间来回走，好容易找到了座位（看来没有买票），才坐了一分钟，又站了起来，是那个有亮片的黑裙子，她又开始在场上来回走动，她走得很快，好像有事的样子，但最终也没什么事。她走到东，又走到西，忽东忽西，忽前忽后，一会儿消失在亮有厕所字样的边门，再一眨眼她又出来了。既光明正大又神出鬼没。

那个大点的小孩也逛前逛后地走动，他的眼睛又黑又亮，像某种夜行动物，耳朵是招风的，头发是竖着的，嘴里有时发出奇怪的呜噜声，他在过道里跳来跳去，找着了一个空位置，他就挤进去坐上一坐，坐了不到一下，他就又要站起来，他站着寻找下一个空位置，然后再挤过去坐一下。

穿屎黄色裙子的女孩和那个男人也都分别起来走动过两次，我很想看看到底会有什么事情发生，但一直到结束，也没看到有意思的事情。

出了电影院门口，我只记住了一句台词："有愁死的，没有累死的。"通场的印象全是那个幽灵般的黑衣女人不停晃动的身影，她不断分割银幕上当代农村的画面，使这部片子在我头脑里变得怪诞不经。

在散场之后的影院门口我们又逗留了片刻，那簇人还是跟开映前那样走来走去，我看了一会儿，终于没有了耐心。

回到住处，我累得鞋也不脱就往床上四仰八叉一摔，海洁却让我起来洗澡。我洗澡的时候她进来两次，一次是问我要不要她帮搓背，一次她刚探头，我就说：快走吧，我又不是小孩。

在上大学之前我一点都不习惯洗澡的时候有第二个人在场，大学里是集体浴室，我经历了无数次惊心动魄的狼狈不堪才适应与别人赤身裸体相对的场面。毕业一分回南宁，重返单独的小洗澡间，我伸展四肢，全身松弛，感到这才是最富有人性的洗澡方式。所以当海洁看到我全裸的身体时，我的皮肤骤然紧张，动作也很不自然，我已经不习惯别人看我了。

洗完澡我倒头便睡。只过了一会，海洁就洗完过来了。

她把灯光调暗，躺到我的身边，她碰碰我的腰，说：你的腰真细。

我闭着眼睛，睡意甚浓，没有答她的话头。她又摸摸我的背，"呀"了一声，说：你怎么戴着胸罩睡觉？这特别不好。她说着就把手探进来替我解扣子，我感到胸前一松，这时她的手指轻轻绕过来碰了碰我前面，我除了烦没有别的感觉，就把她的手打开，说：我困极了。

海洁叹了口气，起身关了灯。

我一夜浓睡，第二天醒来海洁已经不在，她给我留了纸条，说她白天有事，要到下午六点多才能回来，让我不要做饭，等她回来一起到外面吃。于是我给珠影的一个编剧打了个电话，到他家拿剧本。中午我在别人家吃了炒米粉，这两口子又让我给我们主任捎两把大扇子，是上面描着仿宋山水的工艺扇。我扛着大扇子倒了两趟车，回来后累得又上床睡了一觉。

我半醒半睡中感到海洁回来了，她轻轻走进我睡觉的房间，然后俯下身子看我，她的脸一直在我的脸的上方，我在睡梦中感到她的脸好像有重量似的。这时我觉得这个梦好像似曾相识，但我又想不起来是什么时候做过这个梦的了。

我在迷迷糊糊中又睡了很久，醒来的时候天已经暗了许多，海洁正坐在我的床沿上，她的脸像在梦中一样有点模糊。我用冷水洗了把脸，准备跟她出去吃饭。

冷水撩到我的脸上，我忽然想起刚才的那个梦是去年在民航招待所的那个晚上做过的，我忽有所悟，想到这些梦可能都是真的，而海洁必定是个同性恋者。

这使我既紧张又兴奋。

我知道柏拉图是，柴可夫斯基是，艾伦·金斯堡是，但忽然海洁也是一名同性恋者，我觉得这事真是太不可思议了。

在我的感觉中，同性恋者都是在很远的地方，在欧洲或在美国，或者干脆就是在别的星球，而这个海洁既不是艺术家，又不是外国人，她为什么会是同性恋呢？我从来没有在我的生活中看见过同性恋者，根本想象不出同性恋者在一起会干些什么事情。

我跟在海洁身后，变得严肃而沉默。

我紧张地观察她的一举一动，我觉她的眼神大有深意，她的动作与众不同。当时是在晚上，又是一个我不熟悉的陌生地方，这使气氛加倍地诡异，同时又有一种虚幻的性质。

在昏暗的路灯中我们回到了住处。时间还早，海洁却催我早点洗澡睡觉，我预感到晚上会有什么事情发生，我有一点好奇，于是顺从地拿了换洗衣服走进卫生间。我从里面插上了门，海洁推了一下，没推开，就算了。

海洁洗完澡穿了一件很薄的无领无袖睡衣，里面好像没有戴胸罩。

我瞪着眼睛看她，说：你这件睡衣真漂亮！

她眼睛一亮，问：真的吗？然后她就用一种特殊的眼神看我，我一脸无辜地望着她，完全不开化。

她捏捏我，说：你真瘦，你有多少斤？我说我八十五斤。她说：看上去差不多。过了一会儿，她又捏捏我说：我就喜欢你这样瘦瘦的女孩，全身肉紧紧的，真漂亮！

我说：除了你，我从来没听别人这样说过。我发现你有一点奇怪。

她说：是吗？奇怪吗？

她说你把衣服脱了吧。我说我不脱。她又说：让我摸摸你，很舒服的。

她说着把手伸进我的衣服里，她刚碰到我的皮肤，我立即就止不住大笑起来，我边笑边喊痒痒，越笑越厉害，到后来笑得把自己呛着了，连连咳嗽，海洁又捶背又倒水，忙了一气，好半天才消停。

呆了片刻，海洁说：要不你摸摸我吧。

我很是犹豫，虽然我向来喜欢欣赏美丽的女性身体，但仅限于欣赏，她们的身体从来没有引起过我的性的欲望，我也从来没有要与她们发生肉体关系的想法。同时我对年纪比我大的女性的身体有一种恐惧与厌恶交加的心理，上大学的时候，跟我要好的女同学已经三十岁了，她刚生完孩子就来上学，每次洗澡我都不敢看她，她的乳房下垂得厉害，腹部满是嘟噜着的脂肪坨，一抖一抖的，看上去触目惊心。

见我不作声，海洁就拿着我的手放到她的乳房上。我一下闭上了眼睛，在黑暗中感到自己来到了一个古怪的隧道，手上碰着了一种又软又凉的东西，像蛇一样。一阵又一阵的气息涌到我的脸上，热乎乎的不甚舒服。总的感觉是怪怪的。只一会儿，我就把手抽出来了。

我觉得我终于知道同性恋是怎么回事了，原来就是互相抚摸一番，我认为这是一件正常的事，就像抚摸一棵树或一朵花，没有任何暴力色彩，一点也不洪水猛兽。

我对海洁说：算了，我一点反应都没有，我肯定不是同性恋。

海洁说：你怎么知道你不是，你又没有好好试过。

我说：刚才不是试过了吗？

海洁说：那才是刚开始。

我说我反正不想试了，我一点兴趣都没有。

海洁问：你是不是害怕？

我说：这有什么可怕的？

海洁便不再坚持。

第二天,两人都没有出去。我提出要搬走,海洁急了,说她不会勉强我做任何我不愿意做的事情,只是很喜欢我,她说她晚上睡厅里的沙发,让我睡房间里的大床。

我执意要走。

最后海洁打了个的,把我送回文德路教育活动中心招待所,她说过几天再来找我,但她一直没来。

我跟海洁从此就没有了联系,多年后我重返北京路,想象我们当年相逢的地方长出一棵玉兰树,树上开满洁白的花朵,散发出清凉的芬芳,而海洁就像当年那样,穿着白色衣裙,伫立在树下。

但除了那家性用品商店,那里什么都没有。

第五章　北游记

我到北京去跟王朔有关。

四月下旬，有一天，我们文学部忽然来了一个奇怪的任务，让我和一位老编辑带领四个来厂实习的大学生到厂资料室翻文学杂志，说是要给张艺谋提供小说线索，张艺谋需要一个城市题材的线索，最好是写青年人的，六月份必须有头绪。

在八十年代，有什么事情比得上为张艺谋打工更让一个电影人感到无上荣光的呢？至于精英们是什么看法，我们毫不关心，我们关心的是人民。伟大领袖说得好：人民，只有人民，才是创造历史的动力。让学院派见鬼去吧！张艺谋就是我们的英雄，他是电影的大救星，呼儿咳哟。有了票房，我们全厂都有救了。

写到这里，我忽然想起了我当年的一位小朋友。小朋友姓韦，因热爱文学，自己取了个奇怪的笔名叫小虫。

小虫认识我的时候还在南宁三中上学，三中是南宁最好的中学，升学率达到百分之九十八点七。小虫很顺利就考上了上海复旦大学中文系。放寒假的时候小虫从上海回来，到图书馆宿舍找我玩，话不出三句就聊到了张艺谋。

张艺谋的名字像一种奇妙的催化剂，使小虫茶黄色的脸上泛起了一层好看的红色，她的眼睛闪着光，闪着光的眼睛说，张艺谋，我们真是太崇拜他了，我们经常在寝室里谈论他。她想要说出一些谈论的内容，但它们梗在她的喉咙里，一半由于激动，一半由于难以启齿（她们觉得张艺谋特别具有男性魅力，他紧皱着的眉头、刀削般的脸，无一不是魅力的来源，与此同时，她们莫名地嫉妒巩俐）。忽然，她像跟我吵架似的说：张艺谋一点都不土！

这话使我一愣，为了表示我跟她完全一致，我说：土与不土的说法体现了一种文化霸权。

小虫觉得此话特别解气，连说：就是就是。她们寝室有一个北京女孩，家住航天部大院，平日十分骄傲，见她们热衷谈论张艺谋，就说：张艺谋最土了，老农民一个。小虫她们认为，北京女孩不但侮辱了张艺谋，还侮辱了她们全体。众女生像被捅了马蜂窝的马蜂，你一口我一口，把北京女孩蛰得遍体起火，最后只好说巩俐比张艺谋还土才平了民愤。

见小虫意犹未尽，我就告诉她，这张艺谋是我们厂的人，每个月领工资的时候我都在财务室看见他的工资袋。小虫立即跳了起来，她紧张地盯着我，好像我在顷刻间变成了一个骗子。张艺谋是一个神话，他应该出现在法国的戛纳、德国的柏林，以及被戛纳和柏林的折光变得无比遥远的黄土高原（虽然这黄土地就在陕北，但它在我们的印象中却不是在中国），他怎么可能在平庸的广西呢，而且还有一个工资袋。

等小虫觉悟到张艺谋是一个人而不是一个神的时候，她再次跳了起来，好像听见了晴天霹雳，她像电影里一名面对行刑队的共产党人，用下地狱的决心说道：我一定要见到张艺谋。

从此，小虫差三隔四，就要从她家所在的衡阳路骑车来到我们厂，她先顺着围墙，从大门到后门之间来回张望，然后又假托找文学部的林蛛蛛，进入了厂内。她骑着车在厂办公大楼、摄影棚、宣发科、道具车间、图书室等处徜徉。在荒草环绕的摄影棚，小虫也像我当年那样，扒着门缝朝里看，蜘蛛丛生灰尘弥漫的荒凉景象使小虫感到无比失望。她又无师自通找到了通往宿舍区的边门，在千篇一律的楼房之间，小虫仰着头，在一家又一家的阳台上仔细辨认张艺谋照片上出现过的衣服。她走过幼儿园和饭堂，来到家属区的露天放映场，一排排水泥台阶在冬天的阳光下空荡荡地凸起，有几只麻雀停在上面。难道张艺谋会在如此简陋的放映场上看电影吗？不可能，绝对不可能！

小虫回到家，给我打电话，我告诉她，张艺谋长年在外面拍片，很少回厂，像我这样住在厂外的人也没见过他，不过凡住在厂里的人都见过他。于是小虫坚决要求，万一我看到张艺谋出现在厂里，立即就给她打电话，她把她父母工作单位的电话都留给了我。结果是，整整一个寒假过去，我和小虫都没有见到张艺谋。

想到小虫对张艺谋的热爱，我感到自己的工作甚有意义。

我带领四个大学生杀到厂图书室，把《收获》《花城》《钟山》《当代》《十月》《中国作家》《人民文学》《作家》《青年文学》统统搬出来，桌子椅子顿时一片狼藉。我心想，如此恶读，哪里还能见到天日，不如我到北京找王朔，王朔愿给就给一个，不愿给就得死了心。

立即就自告奋勇。主任听了大喜。

吾厂地处偏远，女编辑一个比一个胆小，一个比一个怕累，既怕坏人，又怕名人，既怕坐火车，又怕找不着地方住，怕举目无亲叫天不应叫地不灵，最后还怕无功而返遭人耻笑。有一年，厂里让一位女编辑到北京观摩外国电影，这本是一件好事，不料她回来后却发誓：这辈子再也不去北京了。大家莫名其妙，一问，才知道因为北京太大，从住地到电影院，要坐半个小时公共汽车，害得她起早摸黑，辛苦异常。现在出了一个初生牛犊，不知道怕老虎，一开口竟说要去找王朔组稿，主任立即批准，当天就让她去财务室领一笔钱买票，还让她中午到家里吃饭，好好商量去京组稿的事。

说王朔是老虎一点都不夸张，王朔虽然不像张艺谋那样得到全球瞩目的国际奖，但他深受广大青年的爱戴，同时也深受电影界的爱戴。那一年正是"王朔年"，王朔的话一句顶一万句已成燎原之势，我是流氓我怕谁（这话说得多痛快啊，无奈的小人物口念此语，身上顿时充满了力量），一半是海水一半是火焰（多少年以后，它还是一句优美的诗），玩的就是心跳，过把瘾就死，有多少混沌中的青春热血，受到王朔语录的召唤，学制要缩短，教育要革命，资产阶级知识分子统治我们学校的现象，再也不能继续下去了。领袖的语录在我们的心中还历历在目，王朔的语录就已长驱直入，它们混淆在一起，使我们的热血像开水一样沸腾，像火焰一样招展。

直到1992年，当时我已到文化报当记者，应邀到港澳中心参加香港作家梁凤仪的财经小说研讨会，会议由人民文学出版社和中国社会科学院文学研究所联合举办，来了各路精英，以及一些平日很难见到的人物。我的身边坐了一位很漂亮的女孩，她伸长脖子不停地四处张望，面露焦灼之色。会议开始之后，她终于忍不住了，她先是问我看到王朔没有，我说王朔不会来的，他怎么会来呢？女孩万分不解，她揪着我问 为什么王朔不来呢？为什么？为什么？为什么？好像王朔不来是由于我的阻挠。她跟我论理道 听说作家都要来，为什么王朔不来？她说着说着就有点想哭了，她带着哭腔说 我是听说王朔会来我才从海淀赶来的，我连早饭都没吃，跟学校都没请假。他们骗人。说完女孩便万分委屈地走了。

此事给我留下了极其深刻的印象。

由此我觉得自己在八十年代实在算得上是胆大妄为，对于我等凡夫俗女来说，胆大妄为不是去炸白宫，刺杀克林顿，而是胆敢只身一人到人地两生的北京组王朔的本子。记得当时我口放狂言，全身感到十分畅快，但主任刚一同意，我立即又感到心虚。万一找不到王朔怎么办？万一组不回来稿子怎么办？而且根本不是什么万一，而是完全可能的。坐在主任家里，吃着他的炒米粉，我心里一阵阵发虚。

好在主任十分开明，他说 你去吧，组不成王朔的就组别人的，其他题材也可以。

于是，四月里的最后一天，我乘坐南宁直达北京的五次特快来到北京。

走进一条灰色的胡同，头顶是北方的榆树和槐树，树杈之上是蓝色透明的天空，我十分喜欢这样的天空，我一边走一边仰头看，心里想道：多美啊，北京。我微笑着，有一种透明的东西从我心里和外面的空气间来回穿梭，发出圆号般纯金的声音，嘹亮而遥远，它们来自什么地方呢？

长长的胡同一会儿就走了一半了，胡同的中段，是中国青年出版社和中国少儿出版社的办公大楼，我迎着大门走进去，往右拐，有一个很不起眼的门洞，我沿着门洞的台阶走到地底下，再往右，走到尽头，就到我的房间了。中青社招待所在地下室里，有十来个房间，房间里只有床和桌子，一部公用的电话分机放在走廊里，电视在值班室，到了晚上，大家都挤在一块看电视。

我住的房间是两人间，八元钱一天，另一个床位基本上没人住，在整整两个月的时间里，我一直住这个房间。这样稳妥的单身宿舍，使我感到像是在家里，甚至比家里还方便。在广西图书馆的宿舍，打电话要下四楼走到辅导部办公室，假如人家下班了，就只好不打。电视则没有，如果我特别想看，就上别人家去。这里的生活设施是多么齐全啊，大院里有浴室，有饭堂，还可以看录像。

浴室里蒸汽弥漫，一个接一个白晰的女体从水汽中浮出来，像天鹅一样美丽，她们带着一种别样的神情和别样的动作出现在我的眼前，使我恍惚迷离。我穿衣服的时候看到对面的椅子上有一个年轻女孩，一头湿漉漉的头发遮住了她的整个脸，不知是因为她的皮肤特别白，她的头发才格外黑，还是恰恰相反。我穿内衣时感觉到她在看我，我一抬头，一眼看到她满脸浓黑的头发中露出一只乌黑晶亮的眼睛，以及与眼睛宽度相等的一小段脸，浓烈的雪白和乌黑，就像黑白两种闪电的光芒交会在一起，这种高强的亮度使我几乎往后仰倒。她的眼睛躲在头发后,不露声色,有一种怪异孤标的狰狞之美。我觉得此人甚似日本古代美女,手持短剑,正准备切腹自尽。她到底是谁呢? 我无端认为她必是天樱。

天樱是当年新进女作家,文坛上有关她的传闻极多,我没见过她的照片,但听说她冷艳邪魅,迷倒男人无数。据说她就是踩着男人的身体以迅雷不及掩耳之势登上文坛的,所以正派的人大都要对她表现出不屑以表明自己的正派。

我也打算斜着眼看她,侧目而视。但她怪异的美像一种光,它的能量改变了我的视线。当年我就是这样一只自由的虫子,遵循生命的指引,哪里有快乐,哪里有美,我就像飞蛾一样扑向哪里。

很久以后我才知道天樱的确有六分之一的日本血液,并翻译过日本女作家吉本香蕉的小说,长久以来我对天樱的了解只限于她与男人的关系。绯闻总是比别的东西传得更远,而对于她的才华,男人和女人同样只字不提。两年之后,听说天樱真的东渡日本了,当时我已到文化报当记者,听到这个消息,眼前立即飘满了樱花的花瓣,在纷飞的白色花瓣中,一个女子浓发垂肩,遮住了半边脸,她手持一把长剑,剑身寒光闪闪,她鲜红的嘴唇倒映在惨白的剑上。

当然这并不是天樱本人,那个我在浴室里相逢的女子也不是天樱。她隐藏在我的身体里,在某些时刻出现。

中青社饭堂的白菜豆腐也像天樱一样隐藏在我的身体里,比天樱更加真实。我学别人的样子提着饭碗排队打饭,置身于一片普通话之中,我感到自己好像正在融入京城生活。我发现北京的大白菜真是太好吃了,大白菜炖豆腐里的豆腐真是太好吃了，我从来没有吃过那样的豆腐，冻过的，有许多细小的网眼，像我家乡的腐竹。北京真是北京啊，连豆腐都非同一般，它的网眼里注满了大白菜醇厚的甜汁，咬在嘴里，齿间的醇美传遍全身。最好吃的是北京的米饭，北方的大米日照时间长，使米饭散发出浓烈的米香，并且具备了糯米那样的黏性。诱人的菜香在队伍的前面袅袅上升，大白菜炖豆腐的菜汁拌在热气腾腾的米饭里，让我吃一百年都不腻。

北京的豆浆，竟然是装在袋子里的。油饼。油条。咸萝卜。烤白薯。一切都变得意味深长。所有普通的食物全都摇身一变，闪着光，粉墨登场，在我的北京印象中轰然鸣响。

在轰响的声音中我看到了飞机，它们在中青社的会议室里飞翔，如果它们不是越战中的美国飞机又是什么呢？闷热的蝉声响起，密不透风的丛林，子弹、芭蕉叶、椰树、燃烧的火焰、黑烟、气浪、鲜血、鲜血、鲜血，《野战排》。

与《现代启示录》相比，《野战排》是一部沉闷的电影，但会议室里人满为患，听说放《野战排》录像，所有人都觉得必须坚持。而我则认为是一种幸福。电影就是我的生活，它与真实的生活交替穿过我的身体，一分钟前我在中青社的地下室里，一分钟后我就穿越时空，进入越南的丛林中，疯狂的植物缠绕着我的身体，火光灼痛了我的眼睛，我是如此深地进入了虚幻的世界，进入了越南，以至于唤醒了我体内的越南的潜质，在北京的两个多月时间里，我总是对第一次见面的人声称自己是越南人，以便给自己蒙上一层神秘的面纱。

地下室就这样成为了我的天堂。

我曾以为它是天堂的反面，是地狱。地下室是一个暗处的词，潮湿、发霉、阴森，来自陀斯妥也夫斯基的《死屋手记》。住在地下室里，就是住在地下的监狱里，有人就是这样理解的。

她说：你住在地下室里？你真年轻啊！可以不在乎。

听到有人将地下室跟年轻联系在一起，这更加使我感到地下室真是太好了。而我眼前的这个女人是这样美丽，她的话更是真理。

她坐在我的面前。她的名字不够灌耳，但她的美貌弥补了一切。

她已经有四十多岁了，我从未见过一个四十多岁的女人还拥有如此彻底的美。对于这样的女人，我不能称呼她老师，也不能称她为大姐、阿姨，平常的称呼用在她的身上会显得古怪，我只能直呼其名。

吴婀。

吴婀说：林蛛蛛，这个名字挺好听。她又说，你的形象也不错，可以演一个渔家姑娘。

只有电影界的人才爱随时随地地设想别人扮演某一个角色。吴婀既是电影演员，又是电影剧作家，还是小说家。她住在小西天的北影宿舍，在电话里她说：坐地铁，到积水潭下，过护城河的桥，往前走一段，就到了。一个灰色的院子，有很大的树（是槐树呢？还是榆树），树下有一排水龙头（那些银幕上的明星们就是在这里站着洗衣服的吗）。我走进一幢房子，里面光线很暗，我摸索着找到了楼梯口。木地板，很暗的走廊，两边的门互相对着。我走到最尽头，敲开其中的一扇。

她光芒万丈地出现在门里。

我觉得她就像女皇一样，能指挥无数男人。我忽然提出要看她的影集，她很快就递过来。里面果然有她与国务院副总理的合影，不是一张，而是一个系列。她陪副总理到西藏去，在雪山、寺庙、布达拉宫、帐篷前留下了合影（如果没有她，这些照片将黯然失色）。但她从不滥用她的权利，她提到另一名演员出身的女作家，她说，你知道她到北京住在哪里吗？住钓鱼台国宾馆。

每一个女人都是一部天方夜潭。

吴婀这个名字刚刚出现就要消失了，这使我感到惋惜。她说她现在没有本子，她正在写一部长篇小说，要写整整一年，等以后有了本子就给我。她留我吃饭，我东张西望，她的房间一尘不染，不见人间烟火。正疑惑间，吴婀说她请了一个小时工，接着我就看到了一个长得很干净的姑娘，她在走廊里做饭，做完饭她就走了，剩下我和吴婀两人吃炒饼（我至今认为这是一种奇怪的食物）。

一个连炒饼都不动手的女人，她的故事无数。也许有一天她会自己把她的生活写出来，我对此怀着极大的好奇。我对所有超越常规的女人均有浓重的好奇心。但我现在要与吴婀道别了，再见，吴婀，也许将来有一天，我会听到你的绯闻，那时你的身体就会镶嵌在小西天昏暗的走廊里，越过北京四级污染的空气，来到东城，你的面容鲜明如昨日，而我则神思恍惚。

我们将以这样的方式重逢。

现在，我知道我要先说王朔。

王朔犹如一粒珍珠，沉没在茫茫大海，风起云涌，指路的明灯你在何方？

众所周知，我这个岁数的人受到革命浪漫主义的熏陶，动不动就会冒出几句假大空的抒情，当我正要删去它们时，却发现这已经成为了我叙述语言中的有机色彩，这又使我大喜过望。

言归正传，我从地下室走到地面，直头走上中青社的办公大楼的四楼，四楼有《青年文学》，"你是灯塔，照耀着黎明前的海洋，你是舵手，掌握着……（记不起来词了）的方向"，我脚踏坚硬的楼梯，心中回荡着以上旋律。

我心里想着灯塔，果然灯塔就出现了，它明亮、坚定，光芒掠过黑暗的海面，王朔，这粒沉入海底的珍珠，立即从深海的底部升起，海水迅速从两边分开，珍珠以光的速度骤然升起，当它升到海面的时候它就不再是一颗珍珠了，而是一块巨礁，遥遥在目。我通过电话对着巨礁说：王朔，你好。

《青年文学》变成灯塔的过程有点简单，他们发表了《橡皮人》，因此人人显得像是王朔的老相识。

王朔说他正躲在一个地方写剧本，就是给张艺谋的，写完后直接给杨凤良。杨凤良是张艺谋当时的摄影，电影界无人不晓。这就是说，没我什么事，不战而胜，珍贵的剧本从一个大腕手里直接到达另一个大腕手里，这一瞬间如此眩目，我们只能站在地下室抬头仰望。

王朔在电话里一闪，重新变成一粒珍珠，沉入了茫茫大海。

而我将摇身一变，成为一颗沙子，飞翔在北京的大街小巷。

　　现在，我就要从东城到西城，从南城到北城了，我的眼前立即出现了京城的衮衮诸公，人物 1，人物 2，人物 3，人物 4，人物 5，人物 6……他们像铁道旁的树木，刷啦啦地从我身后退去，但他们没有退远，顷刻就以同样的速度从我的后脑勺绕回到我的面前，依次出现在前面的白墙上。他们多像电影里的人物啊，我已经有十年没见过他们了，我像看电影一样，逐个观看他们。他们有的黑有的白，有的高有的矮，有的胖有的瘦，但他们一概怀有某种京城的气度，他们说：我来帮助你。

　　他们到底是谁呢？

　　十几年的时光流转，我已经很难将具体的事件与具体的人准确地联系在一起了，他们对我来说没有特殊的意义，他们的脸混淆在一起，他们的名字只有一个，那就是 人物。

　　他们说：我能帮你做些什么吗？

　　在真诚中有一点点暧昧，在坦然中有一点点挑逗。但我不怕他们，我又是风儿又是沙，没有人能抓住我。我上午去见人物 1，下午去见人物 2，1 和 2 恰是死敌，我上午听人物 1 把人物 2 骂得体无完肤，下午又听人物 2 把人物 1 骂得狗血喷头。

　　多么戏剧化啊！

　　我是一个热爱戏剧的人，我觉得我的北京之行充满了戏剧性。戏剧、舞台、灯光、演员、化妆，这是一些多么浪漫的词！我对自己扮演的角色满心喜欢，我穿着一件蜡染连衣裙，上身罩着那件黄色布夹克，头发随意披到肩膀。

我知道这身打扮不伦不类，但这丝毫也没对我造成打击。相反，我得意洋洋，自以为风格独特。

一个来自小城市的女人，置身于皇皇京城，每天面对各色文化人，穿着这样古怪的衣服而不拘谨、不自卑、不认为自己土、不被衣服所压迫、不缩手缩脚，居然举止大方交谈自如。

这使我感到奇怪。我生性胆小，害怕生人，即使在我久居京城的现在，我也从未像当年那样松弛。

是什么使我无所畏惧？是什么使我风卷残云？

一定是我化了妆，变成了另外一个人，而这种化妆术不是别的，正是别人的夸奖。这一切，真是太像一幕戏剧了。

在北京，人物们见到我总要说：你真漂亮。或者说：你真美。他们还要说：我对女人的品位是很高的。

我从小没被人赞美过容貌，他们的话像惊雷，顿时使我离地三尺，在我两脚不着地的瞬间，电流从我的头发和末梢呼呼突驶，进入我的五脏六腑骨头血液，它们一哆嗦就被改变了，它们一抽筋就被改变了。我沉睡已久的素质顷刻就被唤起，它们迅速来到我的脸上，散发出光芒。而我陈旧的面容，则如泥胎般哗哗脱落，成为地上的尘土。

每天我至少被赞美两次，每一次的赞扬都使我的一重自我得到肯定，而另一重自我遭到放弃。赞美就像脂粉，一层又一层地涂在我的脸上。既然我如此漂亮，难道还要在乎穿什么衣服吗？在狂喜之中我想：北京人的审美真是直达本质啊！广西对美的标准只有一个，那就是：白。在这样毫不讲理的标准下，我完全被抹杀了。因此我要义无反顾地认同北京的标准，灿烂的朝霞，升起在金色的北京。

（这是后殖民？还是后东方？）

多年之后我才明白，人物们对我容貌的赞美，很像白种男人对荒蛮之地的女性的赞美，有很大猎奇的成份。一个少数民族女子（所有见过我的人都认为我是少数民族）的美跟大汉族是不一样的，正如一个非洲黑人土著女人的美跟欧洲白人的美完全不同。人物1、人物2、人物3……所有的人物都为我重新制订了美的标准。

男人的话不能信。

从小我就从女性长辈那里接受了这样的观念，每当我离地三尺重新复位之后，我心里就会及时地回响起以上的教诲，"男人的话不能信"，这句话出自一个苍老的女声，循声而望，我会看到一个严厉的女人，她剪着江青式的短发，是新中国的妇女。她是不是我的母亲呢？

但同时，另一个女人的声音紧跟着就会出来，它更近、更清楚，因为不久前它才刚刚说出来，她对张尊他们说：林蛛蛛形象很好，特别漂亮。这话使张尊们既觉得意外又感到有趣，他们对我重新审视一番，仍然感到匪夷所思。

说这话的是一位可敬的大姐，《人民文学》的资深编辑，当年到广西组稿，她的话一句顶十句。既然大姐都夸我，我能不摇身一变吗？

大姐是这幕戏里的重要角色。

我到北京的第二天下午就直奔和平里，我空着手去，去了就留下来吃晚饭，吃的是大姐专门做的炸鸡腿。鸡腿外酥内嫩，吃得我满嘴流油。大姐说，我刚刚看过你的小说校样，很快就要发出来了。她的话使我万分羞愧（大姐将我的小说推上具有无上权威的《人民文学》，我无以为报，反倒大嚼她的炸鸡腿，多么的不像话），言行立即拘谨起来。大姐为了鼓励我，又开始夸我形象好，她的女儿是中央美院雕塑系学生，眯起眼睛把我前后左右看了，就开始动员我去给她们班当模特。

（关于我当模特的事下面还要说到。）

大姐给我夹完鸡腿之后说，你不要着急，我给你一些人的电话，你很快就会打开局面的。人物1、人物2、人物3、人物4、人物5就这样出现了，他们是大姐给我的活动靶，我手握无声手枪（像间谍用的那种），瞄准他们每一个人。

我内心的幻像就是这样的。

人物已经给出，妆也已化好，舞台是如此广阔，光线是这样明亮，我马上就要出场了。

场景渐渐开始清晰起来，北城，北京电影制片厂、北京电影学院、新街口、积水潭、小西天、北太平庄；南城，劲松、天桥、虎坊桥；西城，西城无比遥远，要乘地铁在复兴门倒车，然后再往西，在庞大京城的地底下突驶一小时，然后来到海军大院。海政剧作家，是我对西城的唯一印象。

东城，东城熠熠生辉，是北京的精华。

东城的天特别蓝，东城的树叶闪着明亮的光，风一吹，气流向上舒展，走在东城的街道胡同里，我脚步轻盈，全身的毛孔都长出了翅膀。在我看来，所有不用倒车就能到的地方都是东城，13路、24路、116路、113路、115则是美好的电车，它们连接东四十二条，像血管连接心脏，我熟悉它们就像熟悉我的掌纹。我跳上车，挤到窗边的位置，伸长着脖子辨认两旁的景物，街景迅速变得亲切，就像我居住的城市南宁。

和平里也是东城，

农展馆也是东城。

（当然它们都不是。）

东城被我无端扩大，又被我无端缩小，它大的时候像汪洋，小的时候就在我的掌心。

在我的掌心，美术馆和首都剧场闪着光，它们就是首都的文化象征，璀璨的光色映照在蓝天，悬浮在我的头顶。在我的手背，东城云集了《青年文学》《人民文学》《中国作家》《诗刊》《小说选刊》，中国青年出版社、人民文学出版社、作家出版社，多么嘹亮的名字！而所有的人物，差不多也都在东城，他们像核武器隐藏在东城的楼房里，而他们的声音则会以流言的方式传遍大江南北。

我呆在后台，后台就是地下室，然后我走上台阶，宛如一位将要出场的演员。

笑容灿烂，牙齿洁白，林蛛蛛奔跑着闪亮登场，她茶色的皮肤携带着原始的野性，放肆的笑声令人诧异，台下的人瞪大了眼睛，台上的人物们，你在哪里？

人物在一幢灰色的高楼里。

这样的灰楼北京遍地都是，林蛛蛛每天都要面对这样的一幢楼。她从电梯间走出，走过长长的灰色走廊，从窗口看下面，全都是小小的人和车，她已经在很高的楼层上了。高度使她振作，她敲门，一下、两下、三下，门开了，人物站在门里。

人物穿着黑色高领毛衣，人物的家里没有别人。

蛛蛛说：我是广西电影制片厂文学部编辑。

人物问：你是广西人吗？

蛛蛛说：不，我是越南人。

人物眼睛一亮，说：真的吗？你让我想起杜拉和湄公河。

蛛蛛看着人物，心里想，这就是张尊和李管他们见了就吓着发抖的人物吗？我一点都不怕他。她盯着人物说 我发现你很像歌德。

人物脸上一亮，嘴里却漫不经心地说：是吗？

气氛顷刻之间就变得松软，在松软之中又充满着张力，蛛蛛外松内紧，准备迎接第一轮挑战。

人物家里摆着青铜器和陶器，于是就说青铜器和陶器。蛛蛛觉得自己思维活跃言谈机敏，对青铜器的见解尤为标新立异。人物却谈起了魏晋的诗和唐诗之比较，敌进我退，蛛蛛不吭声，静等时机，以便巧妙地把话题转移到宋词，蛛蛛在大学里选修过由老先生主讲的"宋词选讲"，曾将各个流派代表人物的代表作品背熟在心。敌驻我扰，趁人物倒茶的工夫，蛛蛛像一名新闻记者一样向人物提问：你对无政府主义怎么看？

人物一愣，随即说，我对无政府主义不太了解，我只读过克鲁泡特金的《互助论》，他们反对一切权威，主张消灭私有财产，我没有研究，不好瞎说。

敌疲我打敌退我追，人物说一句，蛛蛛也说一句，紧追不舍，他们谈了康定斯基和卢梭，谈了人种的优劣，中西建筑，长城和金字塔，人物说一句正的，蛛蛛就要说一句反的，斩钉截铁，神采飞扬。

155

人物不由得问：你到底受了谁的美学观点的影响？

蛛蛛毫不含糊，说：克罗齐。

话音落下，蛛蛛随即想起当年在大礼堂上美学课的情景。无政府主义虽然不错，大学看来还是要上的。

往事越千年，魏武挥鞭，秦皇岛外打渔船，一片汪洋都不见，知向谁边。

绿茶和咖啡冒着淡淡的热气，第一个回合正渐渐远去。

毛主席的游击战十六字方针真是万古长青啊，敌进我退，敌驻我扰，敌疲我打，敌退我追，多么精粹，多么经典，一句顶一万句。受此哺育，怎么能不智勇双全。

人物谈起了海德格尔，他说的是海氏的一句语录。蛛蛛虽然附庸风雅买了一本《存在与时间》，但这句语录她却不知道，一时有些懵，却又想这人物如此艺术家气质，料他所知道的哲学也不过是些只言片语，胆又壮了起来，说：我不喜欢海德格尔的这个命题，但我对他的另一个命题有兴趣。然后不动声色地说出了她所知道另一些只言片语。

人物有点吃惊，问她是否读一点二十世纪哲学，蛛蛛如实说出自己很少读书。人物便语重心长地告诫道：要读书啊，不读书就要落伍，一定要下决心读几本二十世纪的哲学著作。人物举出了波普尔、卡西尔、雅斯贝斯、马尔库塞。

蛛蛛本以为自己没有了对答的余地，一听这几个人的大名，立即又兴奋起来。

她像欢呼似的连连说道：波普尔，波普尔我知道的啊，大学的时候我们班有两个波普尔迷，这俩人一高一矮，每天打饭排队的时候就听见他们大谈波普尔，听得我们耳朵都听硬了。顿了一下，蛛蛛又补充道，卡西尔的《人论》，前年就买到了。

至于雅斯贝斯和马尔库塞，蛛蛛暗地里把二人的名字牢牢记在心里。从人物家出来就直奔王府井新华书店，买了一本雅斯贝斯的《时代的精神状况》，一本马尔库塞的《爱欲与文明》，并坐在书店门口的台阶上迅速读完了两本书的译序。

好了，让下一个人物出场吧。

林蛛蛛肚子里装了一滴醋（离半瓶子醋还差老远），就有了大半瓶醋的自我感觉，她晃里晃当地想道，我又不要跟思想界接触，领导也没让我到北大哲学系采访陈嘉映，我不过是来北京组电影本子，肚子里有一滴醋就够了。

有了一滴醋的林蛛蛛就放弃了游击战的十六字方针，不再费神搞敌进我退敌驻我扰的把戏，大有一滴醋作底，什么样的酒都能对付（《红灯记》李玉和著名台词）的气概。

人物打来电话，说中央美院有一部战争片《阿拉迈战役》，问蛛蛛是否感兴趣。

人物问：知道阿拉迈吗？

不知道。

知道阿拉迈战役的德军统帅吗？

不知道。

知道英军统帅吗？

不知道。

一问三不知。

在经历了从青铜器到马尔库塞的万水千山之后，蛛蛛的不知道回答得格外响亮，带上了一点挑战的意味，好像在说：我就是不知道，想把我镇住？没那么容易。

林蛛蛛与人物越交锋，心里就越惊喜，人物全都是京城文艺界的一流人物啊，难道一夜之间自己就有了与优秀人物对话的能力了吗？人物1是主旋律方面横贯文学界、话剧界、电影界的人物；人物2是先锋方面横跨文学、电影、音乐、美术的精神领袖，他说哪部作品好就是哪部作品好；人物3是大牌批评家，评谁谁就一夜成名；人物4是首席编辑，目光奇毒，品位奇刁，常让大作家下不来台。

人物身上的光芒使蛛蛛对自身半信半疑。

在半信半疑中胆子忽大忽小。

有一天，人物领蛛蛛到他的一个朋友处组稿，他们坐地铁从东城到西城。人物手里拿着一本介绍尼采哲学思想的小册子，薄薄的一本，在地铁里人物就专心看起来。蛛蛛对人物竟也像自己一样不读原著专嚼人家嚼过的馍感到奇怪，人物对此却很坦然。

原来人物也不读原著，

原来人物也嚼人家嚼过的馍。

别了，司徒雷登。（此句为毛泽东著名文章的篇名，用在这里似不妥，但甚有味道，故保留。另外，我本人比较喜欢司徒雷登。）

人物把蛛蛛带到蓟门桥的一座公寓，介绍她认识了李。李是中国新生代留美学者，先在加州大学读博士，后到哈佛大学搞东方学研究，现在一个人住一套公寓，钢琴、复印机、传真机等等一应俱全，文学界名人常在此聚会。人物说李也是广西人，广西北海。

人物说，林蛛蛛的经历很让他感慨，她竟然是从广西北流这样一个鬼地方来的，太不容易了。正说着，门铃响了，进来的是新锐年轻评论家陈，陈的名字如雷贯耳。人物又给蛛蛛介绍，然后说，也是广东人，他妈都是老乡。

李跟人物商量要搞一次思想界与文学界的聚会，人物担心彼此不融洽，怕思想界的人满脑子尼采海德格尔。人物断然说：他们应该蔑视海德格尔。

之后李拿出了他在美期间写的电影剧本《铁汉金钉》，写的是华工修太平洋铁路的故事，大家一看，大题材，完全有可能抓成重点片。蛛蛛说关键是要找一个特别有实力的大导演，只要该导演认可，厂里一定很高兴。

人物便像三军统帅似的说：看看谁最合适，又要很高的知名度，又要有实力，还要有美国经验。

忽然他一拍桌子，说：对，谢飞，你一定要去找他!

人物仔细告诉蛛蛛，谢导是电影学院院长，曾到美国当过一年访问学者。人物随手找出电话本，把谢飞的电话号码抄给蛛蛛，说：你先给他打个电话，就说是我让你跟他联系的，约个时间，找他去。

第二天，蛛蛛就和李二人跑到了在西土城路的电影学院。一条土石路进去，越走越荒凉，电影学院竟真的就在里面，围墙围着一幢白楼，一棵树都没有，显得十分空旷，到处是黄土和野草，一点都看不出电影的迹象。

谢导好像正被无数个院务方面的会议所纠缠，他抽出了一点时间，他客气、礼貌，既像一个院长，又像一个大导演。他接过了《铁汉金钉》，和李谈起了美国，两个人发起了共同的感慨，说在美国如何，回来又如何。李跟海外华人作家很熟，谢导说他想拍聂华苓的《失去的金铃子》。一谈就谈了一个多小时，却丝毫不涉及《铁汉金钉》，蛛蛛心里暗暗纳闷。出了白楼，问李，李也摸不清谢导的意向。

过了几天，人物打来电话，说他参加了电影界的一个聚会，见了谢导，谢导说如果广西厂有拍严肃片的意思，而他又能在美国搞到赞助的话，他就干。他是怕新闻界传出去不好。

蛛蛛大喜，认为自己的工作甚有成果。

在一个知名编剧家里拿了一个历史剧。

有一个大牌编辑拿来了自己写的童话剧。

有一个知名诗人，写了一部诗电影，特别自我欣赏，他认识广西厂的吴导，吴导年轻时写诗，有两首诗收录在小学课本里，对诗电影怀有深厚的感情。吴导拍的片子已获得了政府奖和莫斯科电影节的奖，是厂里的主旋律一号导演，诗人希望他的诗电影由吴导来拍。蛛蛛打听到吴导正住在北影仿清楼（搞电影的人都知道，不常来北京是很难成气候的。当年广西厂每天都有人乘坐飞机在北京和南宁的上空穿梭），立即就从东城奔赴北城，把诗人的本子送给吴导。

加上海政作者的部队正剧，加上影协作者写的苏州轻喜剧，加上口头约定的两个本子，以及走访的数名作家，蛛蛛觉得自己已是品种齐全，硕果累累。

谁能如此纵横捭阖，上窜下跳，豪情万丈呢？

谁能如此狂妄浅薄而又无所畏惧呢？

我觉得自己可以花天酒地一番了。

花在美术馆的墙上，酒则在剧院和电影院里。

布朗，我在众多的花中首先想起这个名字，它不是一朵花，也不是一个女人，他是一个男人，而且是一个黑人。眼白和牙齿这三处白色在他棕黑色的脸上闪动，我发现他非常漂亮，而且聪明，而且年轻，我从未见过如此聪明漂亮年轻的黑人。

布朗画展不在美术馆，在什么地方我已经忘了，好像是中央美院画廊。多年后我只记得他的画色彩明亮，有一点南美艺术的影子，有一点马蒂斯式的夸张。此外我记得一幅画着窗口的画，红色、新鲜、从未见过，给我带来长久的惊喜。在北京的大街上，每当想起这幅画我就有一种想要跳跃的冲动。我印象更深的是他本人，我看完画展的时候才发现他就在展厅里，他先坐着，后来又站起，后来又走来走去，兴致勃勃，有一种单纯的快乐。

又去看秘鲁作品展，又去看摩洛哥作品展，比利时的绘画、雕塑、纸手工艺品展。一次次进出美术馆，在沙滩下车，往回走，抬头就能看到金黄色的屋顶浮在绿树的浓荫之上。美术馆里有许多艺术青年，装扮前卫，神采飞扬，若是单独的女人，大都气质非凡，风格独特。

我喜欢看她们每一个人。

梳着一条垂腰的独辫子，亚麻色的长裙，凉鞋，精美的脚趾，我看不出她到底是二十八岁还是四十八岁，如果她是二十八岁，却已有了四十八岁的丰富和神秘，如果她已经四十八岁，则又拥有二十八岁的天真与活力。所有真正的女人都是这样的。美术馆里的女人尤其如此。她们像花一样开放在前厅、后厅、回廊、楼梯，我看画的时候也要看她们，如果与她们的目光相遇，她们毫不意外，隐隐的含笑

161

点头，好像我们曾在秘密的聚会中多次见过。

要看美丽而又有品位的女人一定要到美术馆。美术馆和音乐厅，是最美丽的女人出没的地方，美术馆犹如日照充足的花园，音乐厅则像一块巨大的天鹅绒，她们的脸像瓷器一样浮在黑暗中，多么高雅的音乐，多么优美的女人。"酷"这个字眼还没有降落到1988年，她们没有冰冷的脸，没有披头散发或把头发扎成冲天辫，充满力量的叫喊仅仅属于男人崔健。

但我没有去成音乐厅。关于音乐厅的见解来自九十年代，有几年时间我每个月都会到音乐厅去一两次。而在1988年，我对音乐厅缺乏认识，那时候我的夜晚常常冲突。人物1说音乐厅有马思聪作品演奏会，人物2说有一部欧洲电影，人物3说在首体有歌星演唱会。眼花缭乱，顾此失彼，鱼与熊掌，最后还是选择了流行文化，我认为这是观察时代精神的必经之路。

那是我第一次到首体去，一进门就如同掉进了一个正在燃烧的巨炉，黑色的火焰在旋转，万头攒动，人声鼎沸，气流一阵又一阵，把人举到空中又摔到地上，人在不觉中就变成了火焰，全身冒着热气，眼睛闪着光，头发变成了绿的，又变成了红的，又变成了黄的，每个人的脸也都闪烁着缤纷的颜色，光源无数，从天上、从地下，各各涌出来，每个人都忘记了自己是谁，你就是我，我也是你，大家都是首体的座椅、玻璃、屋顶上的钢架，我们眼睛悬在空中，我们的身体变成了歌星的身体，我们全都聚集在椭圆形的中心，那里没有天鹅绒的大幕，只有辉煌的光芒，在光芒的照耀下我们就登场了。

歌星们登场了，他们扫荡了我的一切想象。

所有的男歌星包括乐队全都穿一件长及小腿的长长的绸衣，像风衣一样，质地却是风衣的反面，轻、薄、软、飘、闪亮，颜色是刺眼的红、蓝、灰、绿、白，更多的是白色，肩上还有两道银亮的杠杠。男星一律披肩发。开始介绍乐队，却用的是外号，这位是吉他手——西瓜，掌声哗地涌起，这位是吉他手——咸鱼干，掌声哗哗哗。女歌星则留着寸头，跟农村小男孩毫无二致。有一个叫王斯的，戴着一顶卓别林式的高筒礼帽，露着半截肚皮唱信天游。此外有一个陈汝佳，唱一首当时特别流行的歌，叫《外面的世界》。此外还有谁，我现在一点都想不起来了。

如果是崔健，我会记得他的声音，他的嚎叫，他皱巴巴的中山装，以及全场年轻人的声嘶力竭，欢呼雷动。

这个场面存在于别人的描述中，并从他人的描述进入我的记忆，好像我确曾身临其境。《南泥湾》，有意放慢的节奏，"花篮的花儿香，听我来唱一唱，唱一呀唱"，吱溜一下，我的后脑勺一阵发凉，大姐十七岁的儿子跟我形容崔健唱歌，我感到在他的后脑勺发凉的同时，我的后脑勺也一阵发凉。

此外的崔健全都是《一无所有》，他动人心魄的声音从一只红色的小型录放机里传出来，我戴着耳塞，歌声从紧贴着我耳朵的黑色海绵直接传到我的耳膜，我深深沉浸其中。盒带里还有别的歌，《最后一枪》《不是我不明白》，但我总是听《一无所有》，无数次倒带，倒到开头，听了一百遍还要听。

红色的录放机是某个人物借给我的，崔健的盒带是他送给我的。他说他刚刚离婚，希望跟我交往。他问我的婚史、年龄、性史，我只字不露，把自己变得扑朔迷离，神秘莫测。我喜欢把自己变得神秘，让所有人搞不清楚我到底是不是越南人、湄公河、异域风情、身世不明的女人，让他们去猜想吧，越猜想我就越有魅力，只有这样，我才能在举目无亲的北京城里如履平地。（这句话会使有些人不舒服的，我喜欢有些人不舒服）

在1988年，我两次错过了崔健演唱会。在当时，错过了崔健就像错过了至关重要的盛宴，错过了美国，错了登上月球的机会。第一次是有人搞到了票，但他无论如何也找不着我，我一大早出门，晚上看了一场很差的戏（好像是歌剧《伤逝》）才回来。另一次是在香山，理着朋克头的我厂青年导演崩崩说，如果我昨天认识他，他就可以带我去看崔健的通宵演出。

（红色的录放机和崔健俱往矣。九十年代有一天晚上，平面设计师旺忘望给我打来电话，说崔健到他家来了，问我是否有兴趣一聚。旺忘望是《红旗下的蛋》的封面设计者，与崔很熟，我也曾表示过认识崔的兴趣，但当时已是十点，在我的家庭里，十点就是很晚了，我不好意思提出这个时候要赶到平安里去，于是就算了。直到1999年10月，我才在一次关于现代舞的小型聚会上看见崔健，他真人长得跟照片上一样。）

我漫游在北京的大街胡同，也有抓到篮里就是菜的时候，被人领着去看歌剧《伤逝》（第一次到首都剧场，穹顶的浮雕巨花和富丽堂皇的吊灯使我叹为观止，黯淡的歌剧与之恰成反比，我宁愿看穹顶也不愿看舞台，勉强看了半

场就退出了），自己闯到青艺小剧场去看小剧场话剧《ＸＸ
与ＸＸ》（闯的意思是指既不认识人，也没有票，除了胆量
之外一无所有。不过我手上有一张小纸条，是一位青年作
家给我写的，他是此剧的作者的朋友，他对我描述了一番
剧作家的相貌外形，然后说：你去找他吧，他会给你票的。
到一个陌生的地方找一个陌生的人，看见一个理着寸头的
壮汉背着一个帆布小书包，就径直迎上去，握手、自我介
绍、说明来意掏出条子，他一转身找了一张票，我一转身坐
进了第一排。心里觉得特别有难度的事一分钟就完成了。感
叹间演员从身边出来，男女演员擦身而过，灯光打在我的
脚面上，有一种置身舞台之感。那是我第一次观看小剧场
话剧，非常新奇）。和一位女编辑去看时装表演（大白天，
劳动人民文化宫，上午是红票，下午是蓝票，拿错了，几经
蒙混才过了关。当时的结论是：时装模特应该有贵族意识，
一个气质高贵的女孩穿什么都会好看）。跟人去看相声大师
侯宝林（东四头条，老爷子坐在厅堂正中的一张大方椅上，
威严而慈祥。他的儿子正准备带一帮人到徐州演出，半夜
出发，来来往往的人，韦唯，别的歌星，以及一台巴掌大的
黑白电视），又去看京剧名角孙毓敏。

更多的时候是看电影。

影协总是有好片子，美院也总是有好片子。

法国片和战争片。

辉煌的梦境、残酷的战场、生与死、痛苦、悲哀、爱情、
美丽的女人、异国的风景、床、床上的男人和女人、接吻与
做爱、特写与远景，所有这一切，密集地分布在我的正前
方，它们穿插在北京的街道、公共汽车和我居住的地下室

里，是我的幻想和模仿的来源。一个人物进来了，我想象他就是男主角，地下室半明半暗的光线正适合有深度的拍摄，室内共鸣很好，声音富有表现力，机位隐藏在某个角落，正稳稳地推移。我有时沉浸在故事中，有时沉浸在女主角的面孔上，它们切割我在现实中的活动，使我的日常生活缤纷而灿烂。

有一个晚上，我到建国门的国际俱乐部去观看意大利文学戏剧作品欣赏晚会，是意大利使馆和青年艺术剧院合办的活动。

在去之前我甚兴奋，"意大利"，多么浪漫的词，使我想起地中海、西西里柠檬、罗马假日、黑头发白皮肤的美女、索菲亚·罗兰的嘴唇和眼睛。"国际俱乐部"，我觉得它肯定是一个高贵的宫殿，凡人不得入内，里面的东西一定都镀了金，此外还充满了亮闪闪的水晶制品。我在东四十二条仰望建国门外，犹如在人间仰望浮在云上的宫阙。

国际俱乐部使《红楼梦》里刘姥姥一进荣国府的心情重新回到了我身上。

没想到事物的转变比想象的还要快一百倍，大幕拉开不久我就不是刘姥姥了。我重新变回了林蛛蛛，目光挑剔，不以为然。台上的女演员穿了一件紫红的金丝绒旗袍，我看了一眼就感到腻，就像咽下了一块不放盐的肥肉。正皱着眉头，又听到她念错了字，在我看来，错字就是苍蝇，岂能吞下，我恨不得一脚把她踢下台去！台下坐着各界人士，她们真是给社会主义抹黑啊！我一点都没想到北京演员的素质会这么差，像这种想一脚踢下去的共有两个。我的心里生出了两三条脚，我瞪着她们，想象中的脚已经一脚又一脚地踢了出去。好在方舒出来了，她穿着月白色的丝质旗袍，很美，她像水一样平息了我的怒火。不过她虽然比她们好得多，但也显得平凡，缺乏魅力和光彩。

晚会大致有两大内容，一是诗歌朗颂，一是名剧片断，有《一仆二主》《女店主》《寻找自我》。幸亏有几个老演员撑着，年轻的演员把夸西莫多、蒙塔莱的诗念得跟汪国真的诗似的，真让人咬牙切齿。

八点四十分，节目结束了，请众人到二楼用饮料点心，叫做冷餐会。打扮入时的女士先生们优雅地举着高脚杯走来走去，互相打招呼，拥抱。我学她们的样子给自己倒了一杯可乐小口喝着。

这时人物走过来，他问：怎么样，有没有兴趣写一篇小文章，我拿到《人民日报》副刊发表。

我毫不世故，一点也不敷衍地说：我不写。人物却很有涵养，微笑着。

就这样我厌倦了。

我曾在《子弹穿过苹果》中写到过我当雕塑模特儿的经历，那是真的。但我只写出了一半真相，多年来我一直对另一半守口如瓶。

守口如瓶是我的天赋。

现在我已经老了，或者即将老去，我最想看到的就是我年轻时候的身体，我光滑平坦的小腹，我挺拔的胸部、精致的锁骨和脚踝。

我在哪里能够再次看到它们呢？

在时间的深处，在树下，在花园里，在有天窗的教室，在垃圾堆，在平凡的泥土里，在一切的褐色中，我看见自己的全身雕像静静伫立，它们一共有五尊。跟我真人一样大小，左腿直立，右腿微曲，左肩略低，右肩略高，我的双手背在身后。这是学院里人体雕塑的经典姿势。

多年来我把它们藏在暗处。

它们是浓黑中微亮的碎金。

碎金闪烁在我的皮肤上。我的皮肤很紧张，似乎空气中充满了细小的冰针，我的身体不但裸露在空气中，还裸露在别人的目光下，这使我全身皮肤上的鸡皮疙瘩被放大了数倍，空气中的光芒也被放大了数倍，它们锐利无比，嗖嗖地落到我的身上。我的身体一阵灼热，又一阵冰冷，在闪电般的短兵相接之后，我的皮肤突然失去了感觉，就像一个人突然失语，大脑一片空白。

我觉得自己脱离了增厚的皮肤和沉重的身体，来到教室的上方，我看见一个年轻的女人全身赤裸站在中间，强大的光线从屋顶宽大的天窗流泻到她的身上，皮肤上的绒毛、身体的起伏、隐密处的毛发、胸口的红痣、后背上的胎记全都清清楚楚，伸手可及。她的身边有五个学生，四男一女，有一个年轻的男老师，每个人跟前竖着一只用铁丝缠成的人形架子，脚下有一盆褐色的黏泥，他们眯着眼睛，像看一尊石膏一样观察她。

一个浑厚的男低音说：放松一点，不要紧张。

我不知道他在对谁说这话。

那个赤身裸体的女人就是我，在1988年的初夏，我曾给中央美院雕塑系的学生当了三天的人体模特，我的身体在三天的时间里变成了五尊雕塑。在某一刻，周围人的声

音和动作骤然消退（他们可能是去打饭了），我穿着衣服，
徜徉在五个裸体的自己中间，褐色的暗光隐约浮动，我用
手指尖将五尊雕塑轻轻按了一遍，微湿的凉意楚楚动人。从
我的身体变化出来的我，却呆在这跟我不相干的地方，我
一旦离开，就将永远见不到它们了。它们将在教室的角落
里停留一些时候，然后将被遗弃，将被一只铁锤敲碎。

零落成泥碾作尘。

"驿外断桥边，寂寞开无主。已是黄昏独自愁，更著风
和雨。无意苦争春，一任群芳妒。零落成泥碾作尘，只有香
如故。"陆游的词跟在毛泽东的《卜算子 咏梅》之后，在
我的少年时代被所有的人背得烂熟，它潜伏在我的牙床里，
不管过了多少年，只要有一个词、一句话、一个情景，触
碰、摇曳、点燃，它的全体就会应声而起，如同一片大火。
零落成泥碾作尘，这种比喻并不确切，雕塑本来就是泥土，
但这句词和整首词强劲地冒出来，带着它的香气和决绝，我
不得不把它们写在这里。

更为自虐的想象是整座雕像被完整地丢弃，那样的画
面触目惊心，就好像是我本人被扔在垃圾里，废纸、脏鞋烂
袜、散发馊味的食物、发霉的水果、月经纸、大头苍蝇和
蛆，我的脸和身体就浸泡在这些东西中。我没有问他们，我
宁可相信他们最终会把我敲碎，难道他们不要我的内脏了
吗？那些铁线，还可以再做好几个胸像的架子。零落成泥，
相比之下是一个富有诗意的归宿。

裸体模特的经历我从未对任何人说过，我只告诉别人
做了胸像的模特。

我本来无所谓，甚至觉得当模特是我的一种荣耀，但

169

人物4的嘲笑改变了我的看法。有一天下午，人物4忽然到地下室来，他说是路过，顺便来看看。我很高兴，人物4不是一个对女人有表面兴趣的人，他从来不说我的容貌打扮，不问我年龄婚否，只谈文学艺术，我当时曾觉得，人物可能是一个超一流的艺术鉴赏家。几年之后，在九十年代，人物改行主编一本艺术类杂志，被不少顶尖人物认为是国内同类刊物中最好的。

我青春期的毛病之一是特别喜欢听人谈艺术，人物一来我就雀跃着告诉他，我去看了哪些美展、哪些戏、哪些电影，还到中央美院当了几天模特。结果人物脸上出现了一片嘲笑，他的嘲笑跟一般人的不同，有着某种使人无地自容的威力，把我内心的得意全都打翻了。也可能是我太在意他的看法，所以把他的嘲笑扩大了数倍。他说：你竟然去看《伤逝》？竟然去看《ＸＸ与ＸＸ》？都是垃圾。还居然去给人家当模特，真可笑。

我说：当模特怎么啦？他不答我的话，脸上仍是那副让人心虚的神情。我没再说话，一两分钟后人物就走了。

九十年代人物曾约我为他主编的杂志写稿，为了使这篇他需要的文章更加感性，他特意送给我一盒卡拉斯的盒带，大概他认为，以我的处境来写卡拉斯是最合适不过的。稿子写成后，他认为不够理想。他在上面加上了两行字"奥纳西斯是第一个唤醒她蕴藏的生命力和沉睡的感情的人。卡拉斯的悲剧在于她认为只有他才是这些新发现的宝藏的源泉。"这两行字画龙点睛，我忽然明白，女人的悲剧都在于认为只有某一个人才是自己幸福的源泉。

此后我跟人物只见过两面，一次是开会，一次是到外地。但我们始终无法交谈。我至今认为，他是所有评价过我的人中，最能体味我的文字之美的人。我曾抱着寻求知音的怀想给他打过两次电话，但每次他都生硬别扭，不好好说话。几年前我曾听人说他喜欢我，但他给我的印象却完全相反。

我无法跟他打交道。

现在我们同在一座城市里，但咫尺天涯。

我当裸体模特的事只有京京知道真相。

京京是大姐的女儿，十九岁，在中央美院雕塑系。大姐还有一个儿子，十七岁，在美院附中上学。我跟这二人性情投合，一有空就上和平里跟他们疯疯癫癫一番，他们给我表演崔健演唱会，他们既当崔健（分别是男崔健和女崔健）又当观众，代替成千上万的人欢呼、跳跃和鼓掌，把两间斗室变成万马奔腾的体育馆。当时街上还流行一种难度奇高的霹雳摇摆舞，像机器人在失控和未失控之间。傍晚时分，孩子们在街上围成一圈，轮流表演观摩。京京和弟弟也如数学来，跳得不好，自嘲说：太老了，这种舞过了十五岁就不堪造就。

我总是吹捧他们，我说京京风格诡异，将来在雕塑界会是一个女巫式的人物。当时的文坛巫风正盛，说一个女孩像女巫就是顶级的赞美。京京肤色微黑，披着长发，我把我的一只耳环取下来给她戴上，她的头发遮着半边脸，只露出一只眼睛和一只黑色的耳环，在夜晚的灯光下有一种奇异的美丽。京京又把她的几幅黑白照片拿给我看，在我惊叹过后大姐说，有两张已经拿到法国展览。

我又吹捧弟弟的诗,他的诗写在一个笔记本上,没有题目,一句两句的,有一些句子在本子上闪光,我觉得作为一个中学生非常难得。多年后我带女儿去看动画片《宝莲灯》,在片尾的职员名单中看到了弟弟的名字,他是此剧的对白设计。

他们也吹捧我,大姐说我漂亮,他们就使劲点头。

我隐约感到,他们所说的漂亮是指一种区别于他人的特点,就像对一个印弟安人、一个黑人、一个苗人说他很漂亮一样。但我还是很高兴。夸奖使人愉快,这是人性之一,事后我才发现,这是我通向模特生涯(生涯是一种夸张的说法)的关键的一步。

晚饭很丰盛,有白切鸡。吃完饭后大家看电视,大姐问我都去了什么地方,有没有收获,正说着,电视里就播出了意大利文艺作品欣赏晚会的新闻,上面正好有我的镜头,我背后是两个意大利人。大姐说:蛛蛛你看你形象多好,京京很想请你到她们班当一次模特呢。

只有一句话。

但大姐的任何话我都不能拒绝,我吃了她的炸鸡腿,又吃了她的白切鸡,她在《人民文学》上发表了我的小说,又为我介绍了数位至关重要的人物,她的女儿和儿子都是我的朋友。而且,他们称赞我的容貌,这比激素和吗啡都更有效。

我准备赴汤蹈火,但京京让我把衣服都脱了。

五月底,当我买好了车票准备返邑的时候,部主任给我打来了长途电话,让我不要回去,说六月份在香山有一期国际电影研讨班，厂里决定让我参加，会务费和食宿费都已汇到影协去了。

我就这样在惊喜交加中与香山相遇。

香山对我来说犹如夜空中的焰火，绚丽夺目，灿烂无比，虽倏然而逝，却留下长久的震惊。

夜空就是荧屏或银幕（主要是看录像，直到研讨班快要结束的时候，才有两部戈达尔的片子在银幕上放映，胶片的透亮和明晰像天堂一样使人陶醉），异国的电影一朵接一朵地绽放，亮光明明灭灭掠过我的脸，我便在黑暗中变为少女、老妪、艳妇，变成明星、妓女、贵妇人、罪犯、精神病患者，经历爱情、失恋、杀人、被杀、疯狂。无数虚构的生活像箭一样在我体内嗖嗖穿过，无数幻影在我眼前飞翔，我是多么喜爱这些从不曾存在的生活啊！

我从1898年开始看这个世界，那是卢米埃尔兄弟的《火车进站》《水浇园丁》，百年前的火车像史诗，百年前的花园阳光灿烂，百年前的人动作僵硬摇摇晃晃（因为技术的原因），经过了一百年，它们从远处来到我的跟前，我们隐密的缘分从此开始。

一部接着一部，安东尼奥尼的《奇遇》《放大》，黑泽明的《乱》《罗生门》，库布里克的《发条橘子》，威尔弟的《公民凯恩》，霍夫曼的《宝贝》，《野战排》《达斯加》，《日落大道》《邮差总按两下铃》，《美国往事》《毛发》《目击者》《玫瑰之名》《莫扎特》。然后是法国电影班，从改编自罗伯－格利耶的《去年在马里安巴》《不朽的女人》（又译《不凋的花》）到改编自乔伊斯的《尤利西斯》（镜头经常是虚的，看得头晕，与电影相比，我更愿意读中译本）。它们滋味各异，有的爽滑，有的奇涩，但它们各自的营养在我的体内暗暗滋生。

每天早上，我从香山卧佛寺的 0 号院出来，走过青苔暗生的甬道，穿过圆形的矮门，再走过一面是高墙，一面是瘦竹的夹道，来到一个有回廊的大殿。这样的大殿没有采光，正是白天看录像的好地方。我坐在一个大圆柱的前面，眼睛紧紧盯着左前方。

我至今怀念 0 号院，事实上，它有一点林黛玉潇湘馆的情调，一进月门就是密密的细竹，凤尾森森，暗影低垂，青苔长满墙脚和甬道，清凉、落寞、人迹罕至。0 号院里只住着我和一位《世界电影》的女编辑，离中心（中心应该是看录像、听课、吃饭的地方）最远，要到人员集中的三号院或五号院要经过长长的夹道和错综的院落，远处热闹非凡，笑声不断，像贾母或王熙凤的院子。

但如果我不沿着夹道往里走，而是越过夹道的瓶形窄门，我就会到达卧佛寺最开阔的地方——卧佛大殿前的空地。殿里有最大的卧佛，殿外有两棵古老的松树（树龄大概有五百年了吧），右边有一口古钟。

1994 年夏天我带女儿上植物园，下午的时候来到卧佛寺，那口大钟已经有人把守，一元钱撞三下。我折进 0 号院，里面木门紧闭，细竹依然。听说这里已经不对外开放，我想我再也不可能在这里住上一晚了，怀着一种莫名的深情，我在院子里略站了一小会儿。

然后我带女儿上樱桃沟，当时太阳正在下山，游人三三两两往回返，我越往里走越感到阴冷寂静。因有乌鸦喜鹊来回纷飞，我女儿特别兴奋，她一跳一跳地跑在前面，嘴里发出欢喜的叫声。

很快我们就走到了一潭水跟前。看到水我女儿立即大叫着跑过去，她先是站在水边好奇地照她的倒影，接着又往水里投石块，大的小的，一趟又一趟，水花不断升起，水面上的波纹圆圈叠着圆圈。

我坐在水潭边，看着女儿，好像已经过去了一百年。樱桃沟，这是我当年曾经散步的地方，如果有伴，晚饭后我们就往后院走，一重又一重的院落，院中池塘干涸，墙皮脱落，砖块松动，属于年久失修荒凉颓败的非开放禁地。由于有同伴，荒凉就成为了一种清静，没有杂人，大家高谈阔论，嬉笑怒骂，信步从侧门走到樱桃沟。樱桃沟美名远扬，在大家的想象中山花烂漫（不管什么季节）落英缤纷，但举目四顾，到处都是高高矮矮的灌木丛，枝杈横斜，层次杂乱，跟美好的樱桃没有任何关系。便互相追问：这就是樱桃沟吗？这到底是不是樱桃沟呢？为什么会把这个破地方叫樱桃沟？

伍晓明的声音在樱桃沟响起，这使他有一点指点江山的味道，这位北大中文系的年轻教师，是整个电影研讨班里跟文学有最多关联的人，在樱桃沟的数次散步中，他的话题有：中国当代文学、外国现代文学、尼采、阿尔都塞、符号学、结构主义，他的结论是：电影界落在文学界的后面，像符号学结构主义这些东西在文学界早就被讨论过了，电影界还没开始入门。

当然这些话他没有当着电影界的人讲。电影界也有不少精英，即使不是精英也各具特色，他们像樱桃那样结缀在樱桃沟的上空，是虚构的樱桃，在许多年过去之后，使我确认樱桃沟确实就是樱桃沟，它不是别的什么地方。有的樱桃英语奇好，能就深奥的问题直接用英语提问，我看到美国的电影专家——一位三十多岁的年轻人在回答了问题之后直冲我们吐舌头；有的樱桃熟读法国新小说；有的樱桃精通摇滚乐（关于崩崩我下面还要说到）。

有的樱桃很漂亮，有的樱桃很优雅。

漂亮和优雅的樱桃都是女樱桃。

她们是 1988 年夏天香山的花，芳香四溢。

八一厂有一位年轻的女导演，她至今仍不为人所知，她不是那种大呼小叫，随时随地叼着一根烟的女人，当年我认为只有那样的人才像女导演。她在人群中很文雅，像一杯绿茶，于是我说她不像女导演，她说张暖忻也不抽烟，但并不妨碍她成为最优秀的女导演。

有一位内蒙厂的女导演，人已中年，但身材修长挺拔，容貌姣好。美丽，却不浮浅，这是极致的一种境界，常人难以到达。最令我难忘的是她的眼睛，明亮、灿烂，像草原的落霞，又像燃烧的大海。我常常想，拥有这样一双眼睛的女人若去演电影，一定会比当时走红的女演员更能夺人心魄。她也是一个安静的女人，所有的火焰全都在她的内心。此后我一直没有看到过和听说过她的电影，倒是另一些绯闻叠起的女导演出尽了风头。

现在她大概已经退休了吧。时代呼啸而过，安静的美往往最早湮没。

还有那几位女翻译，才貌俱全，色艺双馨。她们坐在讲学的外国男人身边，赏心悦目。如果是看录像，她们则要同声翻译。

　　欧美电影里的性爱场面常常像奔马一样突如其来。我
们刚刚听到马蹄声，转眼马儿就来到了面前，上一个镜头
与下一个镜头之间有时没有过渡（不需要），眼皮一眨就会
看到两个赤裸的男女，四肢头颈纠缠在一起，身体的中部
相连接，一个压着另一个，喘息和呻吟的声音此起彼伏。我
无端紧张，常常在惊心动魄的时刻听见自己的心跳。这时
候，女翻译的声音却从不远处响起，她译出了一些令人难
以启齿的话，淫荡、粗鄙、脏，有的来自男人，有的来自女
人。

　　我真不愿意那些淫词荡语进入翻译（她们皮肤光洁白
皙，纤尘不染）的头脑再从她们的嘴里出来，我像她们的兄
长和情人那样爱护她们。同时我又很想知道电影上的人在
说什么，我想也许我是一个在深处有着淫荡本能的女人，我
喜欢性，喜欢性爱场面，如果是我独自一人看录像，我会克
制不住倒带重看一遍。但我不喜欢让人恶心的黄带子，那
些没头没脑的器官。我喜欢《低烧３７度２》一开头的做爱
场面，暖色调的金色光芒和男女之间的传统姿势最使我心
仪。如果有一个我心爱的人坐在旁边与我共享此片，那将
是我的幸福时光。

　　我喜欢性描写，既喜欢自己描写也喜欢看别人的描写。

　　也许每个人都有一种隐密的反道德冲动，也可以称之
为非道德主义倾向。我的这种冲动压抑已久，长期以来，它
只在我的写作和幻想中出现，像夜晚里飞翔的蝙蝠，丑陋、
盲目而又激情无比。1988年，在香山，我的冲动刚刚被开
启，电影犹如放闸之后的水流，我则如水流之上的叶片，在
失重中顺流而下。

　　在这片水流中我看到一个男孩，他既像现实中的人，又像刚刚从电影里走下来。他引人注目地理着一个朋克头，就是那种两边溜光、中间只剩一道的发型，如果他把这撮头发染绿，你就会觉他像一只萝卜，如果染红，你又会想起地里的玉米。

　　他在法国班开始的第一天傍晚出现。那天上午听课的时候他没有来，下午看录像也没到，到了吃晚饭的时候就冒出来了。

　　我一看他的头就有点想笑，虽然既不像萝卜也不像玉米，但在我这个外省女子看来还是觉得十分滑稽。我不明白为什么有人会把自己打扮得像一个小丑，而且他的头发跟他脸上的神情也极不相配，自得、自负、优越感、潇洒，用这些词可以形容他当时给我的印象。

　　谁会喜欢一个自负的小丑呢？

　　但他是这样年轻，我并不真的讨厌他。

　　他发现我在看他，于是有礼貌地朝我点点头。晚饭后我们在夹道里不期而遇，聊起来竟发现我们居然是同一个厂的。像我们这样土老冒的边远小厂竟会有如此前卫的朋克吗？这种奇花异草，失去了特殊的温室，很快就会死去的。

　　我说：我怎么没见过你？

　　他说：我怎么也没见过你。

　　他说他刚分到厂里没几天就到北京来了，南宁令人窒息，没有摇滚，也没有人懂得摇滚，他不能忍受一个没有摇滚的地方。

接着他就以老朋友的口吻谈起了美国的摇滚歌手，远处的明星们从一个个短促、娴熟的英语单词中蹦出来，我听得满头雾水，十分迷茫。他又适时地谈到了崔健，崔健是摇滚歌手中我所知道的唯一的名字，熟悉的名字使我的眼睛闪光。他说崔健是他的好朋友，昨天晚上崔健在地坛举行了一场露天摇滚演唱会，崔健给他打了电话，现场人山人海，都挤疯了，特别过瘾。他说你不去太可惜了，要是我们早一天认识，我就可以带上你。

谈论完崔健，我发现我们已经置身于无数繁茂的树木之中。

暮色悄然走来，植物浓郁的气味一阵又一阵，辛辣、清凉，既令人迷醉，又予人以隐隐的不安。黄昏中的飞鸟和虫子在叫，给空气中增添着迷乱。在密不透风的树林小径里，有什么事情将要发生呢？

现在，为了叙述方便，我要给朋克取一个名字。

崩崩。

再也没有比这更适合他的名字了。

响亮、清脆、另类，虽然跟他的优越感比起来显得有点跳，但它还是一下子从我的手指下滑了出来。

在稀薄的暮色中崩崩说：其实女孩想开了就会过得很好。他说电影学院里的女孩都很想得开。

（性爱在一个艺术家那里是一种催发。人身上的精神性都是从内在冲动开始的。要获得创造的能力就不能仅仅局限于爱情的始终如一。艺术家应该拥有道德特权。这些震聋发聩的话像阵阵雷声滚落在树林里，我不知道它们到底出自崩崩的口还是来自我的内心，到底是当时的声音还是多年以后现在的声音。）

崩崩忽然说起了他的性经历，他说他小时候在上海，父母都不在身边，十五岁那年一个三十岁的女人勾引了他。他和这个女人的关系保持了整整三年，直到他十八岁认识他的第一个女朋友。后来他又跟很多女人有性的关系，有时候一天坏一个女人。

崩崩始终没忘记和我保持一拳的距离，在暮色中我感到他步子从容，神色凝重。

我的性经历绝不比一个四十岁的男人少。他说。

我不知道应该对他说些什么，但我对他本人有一种不可思议的好奇。我暗暗盼望他再说出一些令我瞠目结舌的事来。

但他突然问道：你有多长时间没有性生活了？

这问话真是令我瞠目结舌，我完全没有思想准备。或者说，我对和一个男人谈性毫无经验，我希望爱情，充满幻想。即使谈性，也要经过漫长的铺垫，要有明月清风，飞鸟繁花，无边的白雪，站台上的灯光，要有火焰一样的诗和绵绵不断的柔情细语，但我和崩崩认识还不到一个小时。

我不禁有些生气。

这话对我简直是一种侵犯，他这是什么意思呢？难道他认为他可以在性事上对我进行拯救吗？岂有此理！

我的怒火隔着一拳宽的距离传给了崩崩，他不愧为高手，既敏感又乖巧，他说：对不起，我并不是故意要冒犯你。他建议我们赶快回大殿看录像，是戈达尔的纪录片，不可错过。

我们走出树林，穿过长长的甬道，一路无话。

在经过 0 号院的时候，我看见里面一片死寂，浓黑在密密的竹叶上跳动，墙是灰色的。

我想告诉崩崩我就住 0 号院，但我没有说。

多年来，当我眺望 0 号院，我觉得有些场面是可能发生的。当大家都在大殿里看录像的时候，有两个人不去谁都不会知道。此外还有星期六和星期天，我同屋的女编辑家在北京，周六晚上她就回家了，房间里只剩下我一个人。

有电话，两个人可以事先约好。当暮色降临在 1988 年7 月的某一天，那个超越伦理的年轻男孩就出现在长长的甬道里，他走进月门，敏捷的身影穿过繁茂清凉的竹林，然后他像猫一样闪进屋内。年轻的女人已经沐浴，沐浴就是召唤，他们不再说话，像两滴水变成了一滴水，花萼怒放，草肥水美。狂烈的舞蹈过后，清风徐来，甘霖遍洒。

但这一切都没有发生。

假如跟一个比自己小好几岁的男孩上床会是什么感觉呢？假如这个人就是崩崩。光滑如缎的皮肤紧贴我的身体，茂密浓黑的头发在我的胸前，坚硬、强大、一往无前，生命的力量喷涌。

那一定能在闪电间使我芳香四溢。

直到今天，我的眼前仍常常出现那被错过的景象，本该是水草肥美，葱茏蓊郁，但在它们出现之前就被我放弃了。

我同样没有好好对待爱情。

在香山期间，人物 3 曾经来看我，他大老远从城里赶来，乘地铁到苹果园再倒公共汽车，路上走了两个半小时。

而且中途就下起了雨，他没有带雨具，走到我们听课的大殿的时候已浑身淋得精湿。

我不但没有感动，反而觉得难堪。

当时我正在听课，忽然听见身后有人问：广西厂的林蛛蛛在吗？我回头一看，只见一个浑身精湿的男人正站在门口，毫无目的地朝人群里张望，那样子很不够潇洒。当着一屋子的人（崩崩他们都在），我觉得很丢脸，甚至有一种无地自容的感觉，真是恨不得地上裂一道缝好让我钻进去。

我跟他走到卧佛寺外面的一个小亭子里，他在前面，我在后面，我边走边想：这人怎么这么胖啊，跟他谈恋爱太丢人了。我既感到一种虚荣的受伤，又有一种生理上的反感。

他说明天他要到内蒙开会，我走的时候他不能送我了。他说我很有才华，一定要多写。我先是沉默，随后又突然说出了连我自己都吃惊的话。

我是一个坏女孩。我说。

我不想结婚，不想过正常的家庭生活。我又说。

当我冲口而出说我跟别的男人也有关系时，我猛地倒吸了一口凉气，似乎要把自己说出的话咽回去。

但已经来不及了。

他吃惊地看着我，样子有一点痛苦。

我像开弓之箭那样不可控制，又连连说出了一串串他不愿意听到的话。我越说越肆无忌惮，越说把自己变得越坏。我把真的假的都弄到自己身上，在说的过程中堕落，在堕落的过程中获得快感。

直到雨停。

太阳出来，天蓝极了，这时我竟感到自己获得了新生。

我安静下来，看着他。

你是一个奇怪的女孩，有一种邪恶的魅力，邪魅。他总结说。

已经两个小时过去了，他说他要走了。他说他借给我的红色录放机就送给我，做个纪念。

当时我想，这个人也许是真正爱我的。但他的身影在一棵树的后面消失之后，我就把他忘了。

至于讲习班所讲的内容，我一点都没有记住。我在笔记本上记下的东西支离破碎，字迹潦草，而且一回到南宁就不知去向。

学术、历史、理论，它们犹如灰烬。

只有电影里的爱情和人性，在我的记忆中闪闪发光，成为永不消失的焰火。

第六章

达利与布努艾尔

或林蛛蛛与程麻

布努艾尔生于 1900 年 2 月 22 日，卒于 1983 年 7 月 29日，是西班牙超现实主义电影大师，他的代表作品《一条安达鲁狗》和《黄金时代》，探索了在电影中下意识"自动书写"的无限可能；他的社会文献纪录片《无粮的土地》则对电影的纪实特征进行了美学的新实验；此外他的"女性三部曲"(《女仆日记》《白日美人》《特里丝丹娜》) 表现了神秘的女性世界里各种奇异的欲望与幻想。他自如地往返现实与超现实梦幻世界中，使超现实信仰和叙事体获得了完美的结合。

他一生中拍摄了三十二部电影，获得过若干个电影节大奖。他的电影传遍了全世界。

程麻决定当布努艾尔。

同时他希望我当达利。

众所周知，传世名作《一条安达鲁狗》和《黄金时代》正是布、达二人合作的结果，前者甚至是这两个人有一天晚上躺在同一张床上时做的两个梦的结晶。而我和程麻躺在同一张床上的时候是很多的。

当时我住在图书馆的宿舍里，程麻躺在我的单人床上，他说他特别想拍一部像《一条安达鲁狗》那样的片子。我坐

185

在床边的藤椅上，披散着一头垂腰长发，我穿着紫色的布长裙，点着了一支烟，我的烟灰缸是黑底白花带金边的，我的拖鞋是什么颜色的呢？

我的头发又浓又黑，披落在我光滑的手臂上，有一种冰凉的酥麻。

他说就像布努艾尔那样，拍一部超现实的影片。程麻的身上盖着一条有着大朵大朵紫花的毛巾被，那是我母亲给我的被子。他说电影里有一个男人用剃刀把一个女人的眼球割破；路边有一截断手；男人抚摸女人的乳房；两头死毛驴放在钢琴上；书变成了枪；男人被他自己的化身打死；血迹中飞出了蝴蝶；男女两人埋在沙中，只露出了头部。

那天是中秋节，傍晚的时候他就回家去了。我独自在宿舍里，决定写一部暴力与鲜血、爱情与死亡的小说。我没有吃晚饭，也没有开灯，浓郁的月光从窗口直泻而入，房间里满是大团粉灰和深灰，在寂静中有一个短句呼啸而至，我在黑暗中冲到桌子前，写下了"子弹穿过苹果"五个字，然后我开亮灯，在暴力的想象中写下了第一段。

之后我就放了心，我上床睡觉，把布努艾尔忘掉了。到了第二天，暴力的激情散去，爱情浮现出来，一个身材高大的马来种女人站在河边的木棉树下，她皮肤深褐，一只耳朵戴着硕大的金耳环，她身后的木棉树上大朵大朵的木棉花像着了火似的，一跳一跳，被风吹落在河面上，与光斑连成一片。

这个褐色的马来女人引起了我长久的兴趣，她的名字"蓼"开始频繁地出现在这部小说中，像草一样疯长。

有关那两部电影的首映式，是程麻同样热衷的话题。

《一条安达鲁狗》首映式之前，布努艾尔担心观众会怒不可遏，朝他发泄，为了预防万一，他在裤兜里装满了石块，始终盯着别人的反应，一旦失败就向人扔去。但一切出乎他的意料，影片使观众兴奋不已，放映结束后，全体起立，长时间鼓掌，布努艾尔困惑不已，心里却很痛快。

到了《黄金时代》首映式，情况却完全不同。首映在制片人德诺埃侬家举行，邀请了巴黎的精英，主人在门口接应客人，在一片庆贺声中鞠躬点头，握手拥抱亲吻。但影片开映后，热烈的气氛很快变得冷淡，散场的时候主人在门口送客，并征询反应，但客人们匆匆离去，非常严肃，一言不发，有的则调头回避，这使制片人十分窘迫，无地自容。第二天制片人被赶出赛马总会，他的母亲不得不到罗马找教皇求情，因为人们说要革除他的教籍。

我把这两个故事说得这样简洁清楚，完全是因为我在1994年9月的国际图书博览会上买了一本由中国广播电视出版社出版的《路易斯·布努艾尔》，又在1998年9月在三联书店的图书中心二楼买了一本台湾远流出版社出版的《布纽尔自传》，这本书在大陆也有出版，译为《我最后的叹息》，我没有买到。

这是我与程麻的关系结束之后，与布努艾尔的两次相逢。

十年过去，我记得最清楚的是程麻讲述那两个梦时的情形。他把我搂在怀里，一阵深吻过去，又把我平躺着放在床上，齐腰长发遮住了我的半边脸，他把我的头抬起来，把头发从中间分开，盖在我裸露的胸上，然后他像一个眼科医生那样察看我的眼睛，他掀起我的眼皮，用手指作切割状。

他说那时候布努艾尔住在达利家，有一天他做了一个奇怪的梦，梦见一片乌云将月亮遮掉，就像一把剃刀把眼珠划开，他把这个梦告诉达利，达利在前晚也做了一个诡异的梦，梦见一只爬满了蚂蚁的手掌。这两个六十年前的梦在广西图书馆我的房间里像香气一样弥散，本来它们并不像香气，蚂蚁和剃刀这样丑陋的事物怎么能发出香气来呢？

它们的香气来自程麻的手掌和我的头发，我刚刚洗了头，浓密的长发里满是洁净的清香，我不知道它的主要成份是洗发液还是我的体香，也许是两者的混合。程麻跪在床上，用双手抚摸我的头发，从我的脸一直到达我的腰，我裸露的身体透过长长的头发感到他的手指的力量。一阵又一阵的酥麻终于使我呻吟起来，在呻吟中程麻进入了我的身体，在我的上方，是布努艾尔（或我）梦中的那片乌云。

还是说程麻的梦想。

他的梦想是有人给他投资，好让他拍一部艺术片，以便拿到柏林或戛纳电影节上参赛。不过他常常口出狂言，说假如他在国际电影节上得了奖，他是肯定不去领奖的，就像萨特当年拒领诺贝尔文学奖一样，他也要拒领戛纳电影奖。

我年轻的时候特别单纯，谁说什么都信。即使在不久后有人告诉我，说程麻陪那些来厂选片的外国片商陪得不亦乐乎，同时暗地里请一个法国女人把他弄到法国去，即使如此，我还是坚信，这都是为了艺术。当时我是一个特别没有头脑的大傻瓜，因为程麻说了他将不去领那个戛纳奖就认为他是一个旷世奇才，我想我是多么幸运啊，居然一头就撞上了程麻，不然这一生都白过了。在我的心目中，那个奖他真的已经得过了，真的是没有去领。

很多年之后，我才意识到自己的这种无中生有的能力是一种才华，一种罕见的素质，早就应该用它来进行文学创作，而不是用在程麻的身上，变成一个笑话。

这个笑话或奇迹是这样创造出来的：

我把一只青蛙（我脱口而出就想说癞蛤蟆，但又立即意识到用这个丑陋的词形容程麻很不道德，有泄私愤的嫌疑）变成了一只大熊猫（本来天鹅才是顺理成章的动物，但这种说法已经太多了，而且用天鹅来形容一个男人我也有点不甘心，同时我觉得熊猫是国宝，比天鹅还要珍贵），又把一只大熊猫变成一个上帝，这中间的跨度把我自己都吓了一跳。

强劲的想象产生事实。

我站在楼下痴情仰望程麻窗口的灯光，时空飞舞，万物破碎，在苍茫混沌之中，一只蛤蟆在闪光，它凹凸不平的湿皮上长出了毛发，全身是黑的，眼圈是白的，程麻的声音在空中弥漫，这个声音说：我的第一个片子是零拷贝。这个声音一旦降临，我的身体立即就变成了一片沃土，长出无数竹子，风起云涌，万竹丛中，一只蛤蟆在消失，一只熊猫在成长。

这是多么美好的时光啊！

为什么我总会联想到蛤蟆这种动物而不是别的？

我终于想起来了，在《一个人的战争》里，N让林多米写蚂拐出世歌, 然后又要署上自己的名字。现在, 我要再次经历以下事件。

在一个炎热的夏天, 程麻在半夜三点潜入了我的房间, 他拿出了他将要开机执导的一部神话片的剧本, 让我给他写全本一共十首歌的歌词, 厂里希望把这部影片拍成一部歌舞片, 歌词的份额是很重的, 成败攸关。在十首歌中, 跟蛤蟆有关的就有五首, 蛤蟆就是蚂拐, 是壮族远古的图腾, 所以要从蚂拐出洞开始唱起。这些歌有: 五更蚂拐歌, 公蚂拐出洞找母蚂拐, 公母蚂拐交配歌, 母蚂拐受孕歌, 小蚂拐出世歌。

写这些蚂拐难度极大, 根本没法写, 没有原始资料, 没有民歌范本, 又要朴实, 又要有趣, 又要叙事, 全部是口语风格, 却又要有节奏, 又要押韵。好在八十年代我是一个狂妄自大的人, 在那个三十八度高温的深夜里, 我一下子就变成了一只蚂拐精。

自大是一只车轮, 高温是另一只车轮, 两只车轮呼呼转, 我悟性倍增, 心明眼亮, 成群的蚂拐来到我的房间, 唱着一种有韵的歌词, 它们不时变换队形, 有时围成一个圆圈, 有时又排成一直行, 其中的一只母蚂拐, 手持一面金光闪闪的小铜鼓, 站在我的书桌上, 我不知道它们来自何方。我的神仙肯定是来过了, 神助之下, 我一口气写成这组歌词。

这是我写作史上的一个奇迹。

但是程麻不允许我署名, 他在稿纸上重抄了一遍, 我拿过来看, 发现有一个字改一下更好, 我拿过笔就往上写, 程麻却一把抢过来, 自己改动了这个字。这时我才明白，连我的一个字迹他都不愿意留在纸上。

这件事是真的。

它像一枚定时炸弹，定时装置已经被启动，秒针发出了滴嗒之声。

它将在什么时候爆炸呢？

后来这部片子成了一匹双头怪兽，一边是艺术，一边是市场，程麻被拉得痛苦不堪，下出了一个怪胎，不伦不类，两边都不讨好，市场只卖出了两个拷贝，程麻大败，从此再也没有人找他拍片了。

在拍片之前的无聊的日子里，他躺在我的床上，幻想出现一个投资商。他最喜欢说的事就是布努艾尔如何一头撞上大运，某日，布努艾尔被人领到一富豪家吃晚饭，该富豪特别喜欢培养新进艺术家，曾对《一条安达鲁狗》推崇备致，于是，饭一吃完，富豪就表示要出资让布努艾尔拍一部电影，让他随心所欲地创作，不必考虑任何商业因素，只有一个条件，就是由斯特拉文斯基为影片作曲。在程麻看来，斯特拉文斯基已经是非常具有独创性的作曲家了，但是布努艾尔更激进，竟不愿跟斯合作。令所有的人意外的是，该富豪十分宽宏大量，丝毫也没认为受到了冒犯，反而对布说：你说得对，斯特拉文斯基不能跟你相比，你自己挑选曲作者吧，我们再为斯特拉文斯基找别的事干。

这番话程麻记得清清楚楚，总希望有朝一日它出自电影厂某一个握有实权的领导的口中。机遇比天才更重要，如果程麻能遇上这个德诺埃依（就是那个提携艺术家的富豪），一定也能成为布努艾尔。

当程麻认为自己是布努艾尔第二时，他决定找一个人当达利，当然，这一伟大的业绩就历史性地落到了我头上。

我躺在程麻N的右边，他右手一伸，就碰到了我的身体。据我所知，布努艾尔曾经住在达利家里，那两个著名的梦（剃刀把眼球划开，手掌爬满了蚂蚁）就是在这个阶段做的，但这两个人断然不可能睡在同一张床上，他们都有自己的女友和妻子，看来不是同性恋者。

而我和程麻N的关系正在我的努力之下想要变成一种同性恋（当时我对同性恋这个词的用法很不准确，到底是一种什么关系你们可以通过下文来判断，我则没有能力进行归纳，我是当局者迷）关系。在八十年代我是一个怪招叠出思想混乱的人，为了不让自己在恋爱中厌烦（我最怕这点），我费尽心思想出了一个点子。

在某一个深夜，程麻的头脑正清醒，我则神思恍惚，在这样的时刻，一场荒诞的对话就要产生了。

全厂内外，万籁俱静，四楼上下，一片漆黑，木瓜、芭蕉和铁线，全在深度昏迷之中。我手持一根红蜡烛（现在想来，我应该换一根白蜡烛，以免程麻认为我用红蜡烛是要引诱他进入洞门花烛夜，其实我决无此意。可惜一切事情都只能在事后才能想清楚），擦亮了一根火柴，细小的火焰在黑暗中比较诡秘，它把我和程麻的头部投影变得大而飘忽，在这样的气氛中我说：

程麻，我想了三天三夜，我觉得必须改变我们之间的关系。

他说：什么？

我说：我想好了一种关系，你无论如何都猜不出来的。

他又说：什么？

我说：你猜猜看。

程麻在深夜里比较喜欢猜谜，如果在白天他肯定不干。于是他闭着眼睛就开始猜了起来。他说：母子关系。

我说：这是最平庸的一种关系，太没有创造性了。

他说：性倒错？

我说：不准确。

他又说：我知道了，你当男的，我当女的。

我说：还不对。

程麻居然就猜不出来了。

我十分兴奋地告诉他，我准备跟他变成一种同性恋的关系，我变成男的，他不用变，两个人都是男的，出了门像兄弟一样，进了门还一块上床。

（这是多么富有创意的革命性设计啊！）

现在看来，以上对话就像一串拙劣的台词，由一个拙劣的编剧写出，再由一个同样拙劣的导演来执导，因为他竟然不知道诱导我把话说得自然一点，现在我还听见自己当年的声音既夸张又尖利，如果我是导演，我一定会在旁边喊道：声带放松——再放松——

总而言之，我觉得这太不像真的了。现在的同志们看到，一定会笑掉两颗以上的大牙。我也觉得这些念头和表达本身都太荒诞，太缺乏日常性。简直就像专为哗众取宠杜撰出来的，但以上对话来自我的日记，我从来不在日记里虚构。

真是戏如人生，人生如戏啊！

现在就让我来当达利吧，当达利我很高兴，尽管看了他的画我会头晕。我第一头晕是那幅软耷耷的钟，我一看见它就天昏地暗眼前发黑，它又软又黏，像阴险的怪物向我扑来。我第二头昏是《隐身睡女人，马，狮子》，它使我在头昏的同时精疲力尽。并列第三头昏的有：《人格化的抽屉》《西班牙》《帕拉第奥的萨拉亚通道》《长着不可思议的五尺长附肢的巨人达蒙－泰西》《脱斯坦和艾索尔德》，这些妄诞怪异的画面像子弹嗖嗖的射向我，在我身休里炸开了花。

谁要是想陷害我就让我看达利的画吧。

最好是印刷特别精良的那种，色彩特别保真，颗粒特别细腻，纸张特别厚，然后你就举在我眼前一尺左右远的地方（太远和太近我都会看不到），你要坚持一分钟，也就是说，在心里默数六十下，够了六十下你就不用管了，你要后退三步，以免发生意外。这时我一定会口吐白沫，昏倒在地，连着打好几个奇怪的横滚。这时候你还要把我救到医院，不然这本书写不完，至少有一万个人会惋惜。

好了，我发誓此生永不再看达利的画，但我会经常阅读他的自传。在八十年代的广西电影制片厂，我不当达利谁又当达利呢？为了我的爱人程麻，我决心通过语言的力量使自己变成达利。

我要做的第一件事是：不断背诵达利语录。

最著名的一条达利语录是："啊，萨尔瓦多·达利！你现在到底明白了这一点！如果你装成一个天才，你就变成了一个天才。"与此相仿的还有一条"我是独一无二的！我是独一无二的！"（我现在觉得这条语录不够精彩，有点像在电视里看到的传销会现场让大家鼓劲的口号），再有一条是关于如何制造虚假记忆的，他说："真记忆和假记忆的不同之处与珠宝的情况相似，假的显得更真更光彩夺目。"

这最后一条使我信心大增，是否意味着有朝一日，我这个假的比他那个真的更加光彩夺目呢？

再没有比这点更令人欢欣鼓舞的了。

这条语录比"伟哥"还要威猛，话音未落，就从我的舌头直扑我的血管，比闪电还快，比火还热烈，呼的一下就从血液传到了所有的器官，从大脑到子宫，每一个细胞都火辣辣的。

"让野心家用妒忌的蠢话和中伤替我打开盛名之路。我从不害怕闲话，听任它们形成。所有野心家都为此忙得满头大汗。闲话一形成，我就看着它，研究它，并总能终于找到让它对我有利的最佳方式。心怀恶意者们的活动，像风一样吹起来时，是一种能独自使你的胜利之舟行驶的力量，重要的是你一秒钟也不要放松掌舵。"

以上这些话都是达利说的，不是我说的，我的话没那么拗口。如果我早十年就知道这些话就好了，在漫长的九十年代，我已经被各种恶毒的中伤和闲话搞得谨小慎微奄奄一息（可参考由中国社会科学院文学研究所徐坤女士所著《双调夜行船——九十年代的女性写作》第四章，山西教育出版社，1999年3月版），我多想当一个狂人使自己高兴起来啊！所以，我还是要回到八十年代去。

在这个虚构和记忆相混合的八十年代，在青草之上，木瓜之南，灰楼之内，在一夜乱梦之后，我起了床，我拉开招待所的绿色天鹅绒窗帘，让新鲜的空气进来，让隔夜的蚊香出去。然后我到卫生间洗漱，当我把一口凉水从嘴里

195

喷掉之后，我就走到阳台上，面对木瓜，大声诵道：

啊，萨尔瓦多·达利！你现在到底明白了这一点！如果你装成一个天才，你就变成了一个天才。

整个四层楼空无一人，三楼也没有人，厂长去北京了，厂长夫人是我们文学部主任，也去北京了（只要他们不在，我就觉得是去北京了），连保姆都没留下。二楼和一楼有人，但退休的领导有点耳背，即使听到只言片语，也会以为我是在朗诵诗歌，我肆无忌惮地高声念诵了三遍，然后心满意足地洗脸，清水撩到我的脸上就像甘露一样令我神清气爽。

到了中午，我就拿着一只特大的饭碗，到厂门口附近的粉店吃米粉。厂里也有饭堂，而且比起图书馆的饭堂不知好了多少倍，但我当了多年单身汉，仇恨全世界的饭堂，不管什么菜，再好吃，只要是饭堂做的，就统统带有一股饭堂味，这对我这种味觉特别灵敏的人是一种考验（有人说我的感觉神经特别残酷，如果指的是对饭堂的感觉，我特别同意），我不愿意接受舌头和牙齿的考验，就每天到门口吃米粉。

南宁的米粉真是天下第一美味啊！有干捞粉、汤粉、炒粉、桂林米粉，我每天轮着吃，有时候觉得某一种粉特别好吃，就连吃几顿。又软又薄，非常滑爽，跟碧绿的芥兰瘦肉一起炒，或者在汤里放上切成丝的酸菜和焦黄的脆皮黄豆，我现在跟它们远隔千里，在万重关山之外我还是忍不住闻到了香气，我的味蕾马上就像花一样张开了。如果北京有南宁的米粉，那它几乎就是一个十全十美的城市了。如果我是市长，我就要下令开一个南宁米粉店，将那四种米粉——办齐；如果我是一个亿万富翁，我就要坐专机到南宁吃米粉，就像他们坐专机去看足球一样，米粉就是我的足球。

　　如果要引诱我上贼船就给我吃米粉吧，米粉一吃，万物飘飞，我将自己登上贼船，乘风而去，永不回头。

　　在一个关于达利的章节里谈论米粉我有一点不好意思，据我所知，达利为了惊世骇俗，曾称自己是一名食粪者，这对我真是一个致命的打击。不过我知道这不过是一种叙述上的大粪，不会是真的。言归正传，我吃过米粉之后就到了正午，太阳正大，我眼睛就要睁不开了，于是我躺在床上，默念了一句达利的话就睡着了。

　　到了晚上，我就独自骑车在南宁的大街上乱逛，那是我一天中最寂寞的时分，我不能在黄昏的时候一个人呆在家里，只要不下雨，我就一定要出门。

　　我骑车出了门，来到离单位远一点的地方我才放慢车速，我能把车速放得很慢，几乎能够停止不动，我实在是千锤百炼了的一只单车精，比那些从小就学杂技的人练得还要多。我停在车上东看西看，右手扶车，左手插在裤兜里（多年以后我才意识到，这种习惯动作有点像一个女光棍），身体保持平衡，脖子四处转动，打不定主意要走哪条街，所有的街道我都走了有一千遍以上，我已经腻透了。但除了逛街我无处可去（所有的朋友都结婚有了孩子，沐浴在家庭里红光满面，开始的时候我很不懂事，吃过饭就跑到别人家里看人给婴儿洗澡，一次又一次地看别人的孩子把屎拉在洗澡水里）。

　　如果我心情好，我就会到星湖电影院去。

我要看电影，不管什么电影我都要看，正如有的虫子吃青菜，有的虫子吃棉花，有的虫子是要吃电影的。

这时候我就变成了一条吃电影的虫子，我走在路上就变成了一条虫子，我的身体变得十分柔软，一伸一缩的，我的眼睛变得又圆又黑，比钻石还亮，我的头发消失了，只剩下两根，长得又长又粗，这就是我的触角，远远地它就闻到了电影的气味。

我要选择片种，武打片我是不要看的，一打我就会头晕，国产喜剧片我也不要看，因为九成我不会笑，自己不笑，光看人家笑是一件最难受的事情，出过国的人都知道，这是一种文化的差异。所以我偶尔坐到一个正在放国产喜剧电影的影院里时，从第一场笑声开始，我就明白自己将在一个半钟头里暂时当一个外国人（第三世界的）。如果我时间很多，这么坐着有时也能找到一点新鲜的感受。

我像所有文艺青年那样喜欢看艺术探索片，镜头再沉闷也能看下去。1988年在香山，这样的片子有《波长》《放大》《尤利西斯》，即使是电影界的人也受不了了，有百分之八十的人反对放罗伯-葛利叶的《去年在马里安巴》和《不朽的女人》，我和另外几个人只好在午休和傍晚别人散步的时候看。不过在星湖电影院的岁月里并没有这种资产阶级的片子看，但能看到《红高粱》《黄土地》《一个和八个》。

除了附庸风雅，我最喜欢看的是反特片（这好像是一个"文革"概念）、警匪片、恐怖片，有一个片子叫《午夜两点半》，把我吓得半死，散了场好一会儿不敢回家（恐怖的事就是在家里发生的），回了家又不敢睡觉。

更多的时候是无聊的片子，无聊我是不怕的，我比它们还要无聊。对于一个电影虫子来说，什么电影都是可以吃下去的，只要它是电影就行。

黄昏的时候，电影虫子都飞来了，越来越多，所以卖票的窗口是要排队的，常常有人托我替她们带一张票，她们把钱塞到我的手心，然后就在我的身旁候着。这些人都是老女人或残疾女人，我不认识她们，但她们嗅觉敏锐，知道我是一个最可信赖的人。

多少年过去之后我还记得，那个坐在我旁边的老女人，在黑暗中摸索着找到我的手，把一颗糖放进我的手心，那是一颗圆圆的水果硬糖，包着玻璃纸，纸上还残留着她的体温，她用这颗糖来表示对我的感谢。

我还记得有一次，在广西展览馆露天影院门口的售票处，有一个瘦弱的女人托我替她买票，那次人特别多，特别挤，等我手里拿着两张票杀出重围，那个女人却找不到了，我绕着门口转了两圈，又站着等了一会儿，还是没有找到她，铃声已经响过，我只好往里走，到电影场要走过一段长长的冬青树甬道，我边走边回头。最后我就进去了。

这件事使我深为不安。

在黄昏里独自来看电影的女人都是一些无依无靠的人，没有人替她们挤进那些强悍的男人中间买票，我在她们身上，看到了自己的未来。

既然我不打算结婚，我就必须接受自己选择的一切，那是我一生自由的代价。

但我有时心情还是不那么好。如果到了第二天傍晚心情还是不好，我就不去看电影了，我骑着车往闹市相反的方向去，我闷着头往前骑，越骑人烟越少，商店稀拉拉的，路灯也快没了，一抬头，竟到了郊区，四面是灰黑的树和空茫的野地。我这时候真是像一个鬼啊！

南宁的黄昏真是太长了。

漫长的黄昏一点点消蚀了我要当达利的豪情，我拖泥带水地回到房间，房门一关，我再也不想朗诵什么达利语录了，让这个自大狂见鬼去吧！只有到了深夜，我才像一个理性犹存的病人，记起自己一天中已经吃了两次药，还剩一次就功德完满了，于是我躺在床上，用叹息般的声调念道：啊——萨尔瓦多·达利——你现在到底明白了这一点——

程麻希望我做一个或几个怪梦来给他提供电影素材，就像那个刀片划眼球和蚂蚁爬满手掌差不多的梦。他可能以为做梦跟写蚂拐歌词一样，也是说来就来的。

我那段时间做的梦都特别平庸，有如下这些：

梦a：我走进一间很大的平房，里面有一个很大的卧室，四面空荡荡的，正中间放着一张特别大的床，床上盖着一张大被子。床是老式的木床，三面有栏杆围着，被子底下似乎有两个人，我走到跟前，正要掀开被子，程麻一下坐起来了，被子底下还有另一个人，是个男人，又瘦又小。（大概因为那几天老想同性恋的事。）

梦b：这个梦特别乱，早上起来只回忆起一些片断。他跟一个女人还有我，一共三个人上楼，他走在前面，那女的走在中间，最后是我。每个人之间相隔一段距离，就像是互不相识的三个人。最后我们走到我曾经梦到过的那张大床上，三个人穿着衣服睡在一起，程麻睡在最里面，那陌生女人睡在中间，我睡在最外面。

梦c：梦境很清晰，是跟他去登记结婚，起初是年龄上有误会，后来两人把出生证明拿出来一对，发现不是以前所认为的那样，于是一起走上台阶，到一张桌子跟前登记结婚，还盖了章。这时候我突然从梦中惊醒了，并发现自己从床上掉下来，半边身子摔得生疼，这是多年来没有过的事情，只在小学一年级的时候掉过一次。

梦d，这个梦详尽极了，像真的一样。我不知道怎么去了他家，带了几本书。他对他母亲说：妈，她拿书来了。他说：你留下来吃饭吧。于是我就在他家吃饭。吃完饭后我和他母亲打着伞到一幢楼去，我们并排坐在最高的一层，我的伞是黑的，他母亲是一把黄伞，她的黄伞被挂在阳台上快掉下去了，我用我的伞来勾她的伞，结果她的伞还是掉下去了，我跑下楼梯到雨中去捡。然后是我把他家的床单搞脏了，床单掉落在下着雨的泥地里，又是水又是泥，我捡起来放在我的自行车前筐里，我说我来洗。那床单很大，淡花，但我把床单放好时，泥地里又掉了枕套。

梦e，他赤身裸体地来到跟前亲吻我，我问：你的毛衣呢？他说送人了。我又问：是个女人？他掏出照片，让我在一堆男男女女中看一个女孩，他说：你看，她裙子那么宽，她有三只脚。什么意思？

梦f，在一所大房子里，里面有很多房间，有很多人来来往往，我一个房间一个房间地找他，但没有。突然，我看到一个房间很奇怪，门口和窗都焊着铁栅栏，我走到跟前，看到一个躺着的人的一双脚，但我无论如何都看不到他的膝盖以上的身体，我认识这双脚，是他，于是我拼命往上跳，想从窗口看到他的脸（到门口还有一段距离，被一道铁管拦住了），但我始终看不到。他的脚就像是尸体上的脚。我觉得自己应该痛哭，在黑暗中我用手指按了按眼眶，一滴眼泪都没有。

这些梦都是真的。

它们都是我的潜意识吗？

长久以来，我与梦之间有一种隐密的联系，自我的幼年开始，我所做过的重要的梦我都记得很清楚，直到现在，每隔一段时间我就会做一个色彩绚烂情节古怪的长梦。将来我要写一本书，把我一生中做过的梦全都写出来，那一定是一本纷繁瑰丽的奇书。我将躺在一棵大树下，我的头顶繁花如云，落英缤纷，柔软的花瓣飘落到我的脸颊上眼皮上，我的头发和全身也都盖满了花瓣，每一片花瓣都是一个过去的梦，是远离我的日常生活的另一重时空，是空气之外的空气，时间之外的时间，它们盖在我的身上实际上是托在我的身下，它们不容置疑地会把我带到另一种生活中，这个时候，我所经历过的平淡琐屑的生活将会烟消云散，而我置身其中的梦境将会伸手可及，成为我的另一重现实。

在我与程麻相处的日子里，我几乎没有做过特别奇特的梦。既然梦境平淡，我就特别希望生活中能出现一点比较刺激的事。

五月就这样降临了。

五月从来就是游行的季节，从五四那会儿就如此。

在八十年代，我是一个热血沸腾的人，特别喜欢看到宏大的场面，大型或小型的集会、狂欢、晚会、游行，所有这些，本来是革命时代的日常生活，在七十年代遍布所有的城市和乡村。我上中学的时候，动不动就要集队去体育场或者灯光球场，去开万人大会，批判、欢庆、公审、听传达、誓师，经常不上课，排队到街上欢送欢迎三线民兵，欢送知识青年上山下乡，集体劳动，修水利、插秧、割禾，每天排练，大演革命样板戏，在我上小学的时候，则参加了战争的模拟，挖防空洞、挖战壕，步行拉练，在半夜里听到防空警报就立马穿衣起床，在黑暗中随着人流拼命奔跑。

这一切真是好玩啊！每天都像一场盛大的游戏。

当年我却腻透了这一切，一听到要排队就反胃。在无所事事的八十年代，我忽然觉得这些事情特别好玩。在南宁漫长的黄昏，当我骑着自行车走在已经上千次游逛过的街道时，我多么希望听到一次防空演习的警报啊，那鬼一样的嚎叫就像夜空中突然绽放的礼花，以突然的明亮照耀沉闷的街道。我将在黑暗中迅速穿好我的衣服，我步履轻盈，心无牵挂（要是有一个孩子就麻烦了，我要先给她穿衣服，然后再自己穿，还要捂着她的嘴，以免暴露目标，电影上都是这样做的。如果她已经断奶了，我还要带上水和奶瓶，然后我要摸黑找出背带，把她绑在身后，然后像一只鹅，蹒跚而行），三步两步就从四楼冲下来。

我将逆着人流奔跑，他们都是要到郊区的树林里躲警报，我则要到邕江大桥去，和志愿者们手挽手，高唱《国际歌》。我们每一个人都穿上了白色的T恤衫，胸前画着大大的靶形标志（看上去很美，像是电视上南联盟人民的英雄形象），我的鲜血在这一刻燃起了熊熊大火，时刻准备在敌人的轰炸下与邕江大桥共存亡。防空警报呼呼地响着，这是多么的好啊！让女人穿错男人的裤子吧（这是我的大姨妈的故事，在1969年，她在一次防空演习中穿上了我大姨丈的裤子，天亮的时候解除了警报，晴天白日，全镇人都看到我大姨妈的裤裆前开着一道大口子，露出了里面的花内裤），让男人穿错女人的鞋吧，让青年人趁乱到一个什么旮旯里同自己的恋人消魂一番吧。

虚拟的警报就是真实的狂欢。

如果没有警报，有一场热烈的游行也可以。在五月，电视传来了学生游行的消息，这使我大为兴奋，晚饭后我再也不用没着没落地在大街上闲逛了，我一下就有了目标，就像在茫茫大海里看见了航标灯。

目标这种东西就像宝葫芦一样奇怪，一生二，二生三，三生万物，我身上顿时有了无穷的力气，一吃完饭我就匆匆推出我的自行车，我呼的一下就跨上了座鞍，像箭一样飞出厂大门。

凌空而起，身轻如燕，滞涩的街道立时变得像冰面一样光滑，路障、红绿灯、行人一一消失了，一条干净的街道从正面迎来。

大道朝天。

正是因为有了目标，道路才能成为道路啊，没有目标的道路是盲目的，凝固的，它通不向任何地方。我用不着高超的平衡技巧了，道路呼呼地奔跑向前，树木整齐地向后退去，我一口气就到了广西大学的后门。

后门有一些人在围观，有几个保卫处的人守门，只让出，不让进。我比谁都着急，我心急火燎地挤到人群的最前面，伸长了脖子，热切地盼望看到大学生们高呼口号，列队而出。我喜欢看到女学生们身穿白色（或浅灰色）的大襟衫，下穿黑色的裙子，脚上是带襻的布鞋，男大学生则身穿长袍大褂，脖子上围着长长的围巾，他们手挽手，迎着风，头发向后飘扬，充满动感和力度。众所周知，这是电影《青春之歌》里林道静和卢嘉川（由谢芳和于洋主演）的形象，我希望在广西大学的后门口，看到像电影一样的场面，我则预备一头撞上去，置身于电影之中。

但是电影迟迟不来，围观的人散掉了一些。

我磨拳擦掌地走到了门跟前，我说：让我进去好不好，我的弟弟在里面。保卫的人平静地说：只许出，不许进。

这种平静说明他们并不认为我是一个想要进去煽动闹事的危险的人，这使我感到大大的失望。

我多么想当一个煽动家啊！一个女革命者，英勇无畏，冷静而又充满热情，有天生的演说才华，像一粒自动行走的火种，所到之处，火苗呼呼往上窜。然后我将被捕，押到重庆，喝辣椒水，坐老虎凳，坚贞不屈，最后在枪声中变成红色岩石上红色的松树。这是另一部电影，叫做《在烈火中永生》，于蓝和赵丹主演，又是一部歌剧，叫《江姐》，蓝色的旗袍，红色的开襟毛衣，白色的围巾，还有一个皮箱，雾蒙蒙的重庆码头，《红梅赞》的旋律就从雾中奔涌而来："红岩上红梅开，千里冰霜脚下踩，三九严寒何所惧，一片丹心向阳开。"在回肠荡气的《红梅赞》之后是丝丝入扣的《绣红旗》，线儿长，针儿密，含着热泪绣红旗，绣呀绣红旗。热泪随着针线走，与其说是悲不如说是喜，一针针，一线线，绣出一片新天地。在歌声之中，我则梳好了头，穿好了旗袍（我到目前为止还没穿过任何一件旗袍，旗袍是我最大的向往，也是我最大的心疼），准备到刑场去了。

这一切使我眼含热泪。

仅凭这一点，我就知道自己不具备领袖素质，给我一万个人就是给我一万颗沙子，一阵风吹过，它们就会把我埋起来。若换一个能当领袖的人，就能把这一万颗沙子变成混凝土，所向披靡。

广西大学使我失望，我又在傍晚赶到广西农学院去，我还到师范学院、教育学院、民族学院、医学院、化工学院去，在大门或后门伫立，等待观看宏大的场面。但是什么都没有发生。

又过了一个多星期，有一天上午九点多钟，我到医院看病，一出门，就感到气氛异常，我连忙冲到十字路口，果然看到黑压压的队伍正在走来，和《青春之歌》不同的是，女生没有穿白衣黑裙，男生没有穿长袍，他们穿的是各种颜色的T恤，有的女生戴一顶尖顶笠帽，这种南国风光的道具马上使我想起《海岛女民兵》，这两部电影如此不同，使我疑惑了片刻，但我立即被队伍吸引住了。

我下了车，一路推着车跟队伍走到了广场，之后又在广场旁边的树底下站了半天，直到中午才回家吃饭。到下午我就开始发高烧，整个脸都肿了（那天上午我本来是要去看牙），我同时打了青霉素和庆大霉素，在家躺了三天才好。

这是我在整个电影生涯中看到的最壮观的场面。

我经历了从心理到行为的种种努力，一天朗诵三遍达利语录、妄想当革命者、抢别人的房子，遍尝百草，也没能把自己变成达利，程麻当然也变不成布努艾尔。

有关我和程麻N，《一个人的战争》里写的有一半是假的，为了叙事的需要，我虚构了林多米怀孕堕胎的情节，使他们的分手撕心裂肺，好在小说中形成强烈效果。事实上，我并没有怀孕，而且从来就不准备跟程麻结婚。

我从北京组稿回来后就发现南宁实在太土太沉闷了，没有摇滚，没有美展，没有行为艺术，没有小剧场话剧，没有一流的人物，真是要什么没什么，太不好玩了。我在南宁呆了几个月之后就很不耐烦，找到机会又上北京去了，我决心像无数到北京闯荡的外省文艺青年那样，到北京租一小间平房写小说，靠写作养活自己，将来成为一个知名作家。

事实上，我跟程麻的关系只维持了短短几个月，当我到北京找到落脚的地方后，就疏远了他。更刺激的说法是：是我抛弃了程麻。

这更符合我的生活逻辑。

但我认为我经历了真正丰富的爱情，无论泽宁，还是程麻，他们永远是我成长的营养中最重要的那一部分。

第七章　天使望故乡

一

　　在我对电影厂的眺望中，最先出现的总是我从未进去过的摄影棚，它像一个穿着灰色衣服的人，携带着大朵大朵的蜘蛛网，面容模糊地从我眼前走过，犹如一个穿着前卫时装的秃头模特，旁若无人。

　　厂里只有一个摄影棚，我从未见到这个摄影棚启用过。通往那里的小径荒草丛生，像森林一样繁茂。我刚调到厂里的时候，经常在黄昏时分独自前去探望这座神秘的巨大建筑物。

　　它没有窗，密不透风，有五层楼那么高，顶上有一道像舷梯那么窄的过道，有灰色的铁扶手，让我觉得那是专门留给放哨的士兵的，这座巨大的黑牢因禁了什么样的鬼魂呢？在我失眠的夜晚，这样的奇怪问题就会一咕噜一咕噜地冒出来，把我的头脑变成一口不停冒水的泉眼，但冒出来的不是清水，而是一种浅灰色的沾手的丝状物质，当然，这就是蜘蛛网，它们布满了整个闲置的摄影棚，从这头到那头，飘飘荡荡，自由自在，你真的不会在别的地方看到这么大这么完整的蜘蛛网了，即使在真正的原始森林，那些户外的蛛网被风一吹就会破几个洞，在我看来，一只破了洞的蛛网真是奇丑无比。要见识最美的蛛网就来吧，这里连窗都没有，十年都不会开一次门，空气是绝对静止的。这里真是蜘蛛的天堂啊！我都愿意变成一只大蜘蛛了。

除蜘蛛外就是灰尘。谁要想写一本《灰尘大观》一定要来这里考察，灰尘的条件跟蜘蛛一样好，有充足的时间和空间让它们长成各种样子。你要戴上一只口罩，戴上一只布帽子，还要穿一双护住裤脚口的雨鞋，再戴上两只袖套，然后就轻轻地走进来吧，动作不要太大，以免眼睛里掉进灰尘。

最漂亮的是又圆又轻的绒线状灰尘，空灵、飘逸、富有弹跳力，如果说她们是一群小女孩，我是完全同意的。但若她们不跳舞，我就要去观看那些厚得成了砣的灰尘，它们结硬在角落里，如同一些沉默的岩石，千年不动。最普遍的是粉状灰尘，它们最广大、最日常，像群众一样遍布上下八方，那首名为《小草》的歌唱的就是它们，只不过它们比小草还要卑贱，如果不是我来书写它们，它们就会隐入黑暗之中，万劫不复了。

看过团状、砣状、粉状的灰尘，我就要抬起头来，最壮观的时刻来到了，从五层楼高的天棚上一泻千里地垂挂下来的是成片成片的帘状灰尘！就像飞流直下的瀑布，突然间被一道魔法封住了，一封封了一千年，水都变灰了，它就等着一个人，这个人轻轻地说一声：飞。这大片凝固的瀑布就会脱身飞出，并且发出巨大的轰鸣声。

当然，这个人就是我。

在这个蜘蛛和灰尘的摄影棚里，我觉得有三类电影可以在此拍摄内景。

第一类是《西游记》里盘丝大仙的盘丝洞。这个山洞比任何真正的山洞都更适合跳舞，让舞美把蜘蛛精的翅膀（蜘蛛是没有翅膀的，这里指的是类似的东西，是一种叙述上的翅膀）做到一丈长吧，两个翅膀加起来就是两丈，艺术上的东西就是要夸张才好看，在我们广影的摄影棚里，再长的翅膀都能舞得开，舞起来天昏地暗，日月失色，这才不辜负了那伟大的神话传奇。除了蜘蛛精之外，还可以同时容纳一群蝙蝠精，蝙蝠比起蜘蛛可是活泼得多，但也不要紧，就让它们疯狂飞舞吧，有多疯就飞多疯，有多快就飞多快，像一道一道黑色的闪电，把孩子们看得瞪大眼睛，尖声大叫。

第二部电影发生在一个中世纪古堡，既是古堡，想来就是欧洲了，我觉得欧洲的蜘蛛和灰尘跟咱们的不会有质的区别，远看（特别是在电影上远看）都是一样的。这是一部爱情片，有一个男主角，是一个王子，有一个女主角，是倾城的美女，故事说到这里，我就不想往下说了，这种脱离时代和社会的爱情其实是很苍白的，跟纸做的一样，吹都吹不厚，把我的血都输给它都不会长肉，虚构这样的故事是得不偿失的，我再写下去就会把自己写死。

不如说《孤星血泪》，这是适合在这里拍的第三部片子。

这部片子跟我有某种缘分，我总是在不同的时候碰到它，即使在不看电影的九十年代，我也会在开电视的时候看到它熟悉的身影，我暗暗发誓，有朝一日，遇见高人，我一定要问问我与这部影片在前世是什么关系。

　　我眼前经常出现一位白发鹤皮的老太太，她瞪着眼睛，发出神经质的动作，她在一间布满了灰尘的房间里走来走去，这是她几十年前的新房，她的婚纱、嫁妆保存完好，但是已经布满了灰尘。这个场面使我黯然神伤。如果在这里重拍《孤星血泪》，我一定要竞演那个老处女，我要写一份血书，写成之后我才会醒悟到这是一种过时的做法，凝固的血迹是最丑陋的恶心东西，现在的导演是不会被它打动的。那么我就去跟导演睡觉？不过我已经太老了，导演会觉得他是在倒贴。我多想不择手段啊，我多想不惜一切啊，即使如此，我也没有什么机会了，这是我的悲哀。这都是因为我是一名女性，如果我是一个男人，在我这样的年龄，正是最走俏的黄金时代，哪会有什么想献身都怕人家不要的道理。

　　三部电影拍过，我应该没有什么想法了。但蜘蛛的意象太强大，使我不由得想起《蜘蛛女之吻》，这是一部沉积在我内心深处的电影，我本来不想在这里说它，但它实在是太繁茂了，那个海岛阳光灿烂，长着许多缠绕着野藤的棕榈树，到了夜里，一切都是银白色的，这时强烈的灯光亮起，一个奇妙的女人出现了，蜘蛛女身穿一件镶着银线的闪闪发光的长袍，她脸上带一副面具，也是镶银的。但她却一动也不能动，因为她自己身上张着蜘蛛网，她的腰部、臀部、腋下长出一条条线，这些毛茸茸的线全都是她躯体的一部分。她在哭，面具下面流出一滴滴眼泪，像钻石一样闪闪发光。她的目光越来越悲哀，眼泪越流越多，她的形象布满了整个画面。

　　我是 1988 年 7 月在北京香山卧佛寺看到的这部片子，

到现在，十一年过去了，它的结尾还是如此鲜明、清晰，只要我注视一只蜘蛛半分钟以上，那个海岛、那个身穿银线长袍的女人就会从香山一路飘来，在瞬间到达我的面前，她那些钻石般的眼泪叮咚作响，参差落到我的手心，圆润、冰凉，使我心疼万分。

我不记得这是一部法国片还是一部美国片了，我当时还没有看过曼努艾尔·普伊格的原著译本，我甚至一点都没听说过这位阿根廷的天才作家。馅饼从天上砸到我的怀里，我就这么到香山参加这次第五期国际电影讲习班了。我记得前十天是美国班，后十天是法国班，另外我记得翻译在电影刚开始的时候告诉大家，那个扮演男同性恋者莫利纳的演员是法国大明星，《最后一班地铁》的男主演，由于他扮演了同性恋者，遭到了他的崇拜者们的强烈反对。这些都是我刚刚想起来的。我不明白那些法国观众为什么会反感他演一个同性恋者，难道在法国也存在普遍的偏见吗？真是不可思议。

在我看来，演莫利纳的演员美极了，比在《最后一班地铁》里动人得多。他的全部动作都十分女性化，他的眼睛充满深情。电影一开始，就是莫利纳对同关在一个囚室里的政治犯讲述一个女人，他边说边表演，他学她把一条腿搁在另一条腿上，他的整条腿是裸着的，囚室里光线很暗，显得他的腿像月光一样洁白，他把脚面绷直，形体十分优雅。他又形容她的镂空的高跟鞋和涂成黑色的脚指甲，在说到丝袜的时候他做了一个穿丝袜的动作，他的手指优雅轻盈地从脚尖一直掠到腿部，然后他又形容她的手，她的指甲，他的手形在囚室的黑暗中像花一样美好。

政治犯瓦伦第是一个富有男性魅力的人，在同居一室的生活中莫利纳爱上了瓦伦第，向瓦讲述了他当"女人"的感受和心理。瓦伦第没有爱上他（瓦并不是一个同性恋者），但出于同情（也许更多的是利用）终于和莫利纳做爱。获得了爱情的莫利纳愿意为瓦伦第做任何事情，在他被释放之后就来到了广场上，跟瓦伦第的同志们接头。正如瓦伦第不是一个同性恋者一样，莫利纳也不是一个革命者，他知道，一旦与他们有牵连，不是跟他们一起走就是被他们消灭，他事先把自己银行里的全部存款都取了出来。莫利纳是一个把爱情看作生命的人，他提前三十分钟就到了广场上，最后，瓦伦第的同志们开着一辆白色的轿车来了，革命者发现了警察，接头没有成功，莫利纳向着汽车拼命奔跑，但汽车并没有停下来等他，反而从车里射出了一串子弹，直接射中了他的胸膛。据警察局的分析，极端分子是要杀人灭口，免得他招供。

我永远也忘不了莫利纳拼命奔跑的镜头，他的长发飘扬，蓝色的眼睛里燃烧着痛苦和爱情，但是一串子弹从正面击中了他，他干净的白色衬衣涌出了鲜血。这一刻是如此惊心动魄，让人心碎。对莫利纳来说，爱情是不可能的，革命也是不可能的。

这是我第一次在公共媒体上听到同性恋这个词，它来自异乡，带着温暖的神情，就像那个法国男演员本人一样美（我至今也不知道他叫什么名字），在我看来，它不是什么乱七八糟的东西，而是是黑暗囚室里的一抹月光。

二

有朝一日如果我重返旧地，我一定要去看看我住过的那幢灰房子。有一段时间我特别仇恨它，因为厂里不给我分房子，让我住在这个临时招待所，十几个武打演员在我的客厅里打得天昏地暗；有一段时间我又特别热爱它，它长年累月无人居住，成为我和我的恋人无所顾忌的天堂。

灰房子跟前的木瓜香蕉苦楝树在我的想念中变得越来越清晰了。一、二、三，吹一口气，再吹一口气，灰色的楼房就出现了。它是多么安详啊，我站在四楼的阳台上，一只青色的木瓜就在我的眼前，雨点落到木瓜宽大的叶子上，木瓜一点都没有被淋湿，而芭蕉叶泛着水光，不停地发出美好的声。

现在我要再一次从南宁的闹市回到电影厂，我从广西艺术学院出发，穿越整个南宁市区。

天桃路、桃源路、七星路、星湖路、七一广场、朝阳路、火车站，这些路名一一苏醒了，它们奔涌着来到我的脚下，与我的车轮发生摩擦，街道两旁的浓绿终年不化，灿烂而艳丽，如果有长风浩荡，把它们全都吹上天该有多好！如果吹上天又落下来有多好！如果全都吹到邕江去多好！如果把我埋起来多好！或者，它们就这样永远挂在树上，每年都在长大，长得比十层楼还高，比游泳池还大，这样的大叶子是多么神奇啊！对环境保护尤其有好处，等于凭空多了无数只氧气发生器，它们铺天盖地，一万亿个毛细孔呼呼放送着氧气，每一个走在南宁街上的人都等于进行着有氧锻炼，女孩子则会皮肤含水（南宁的女孩都是很干瘦的，有人说南宁无美女，这我有点同意），老女人的皱纹肯定就张开了。

如此看来，我已经一不小心就置身于一部电影之中，一部夸张的、虚假的、毫无诚意的庸俗浪漫主义电影，难道我内心深处就充满了这样腐朽的意象吗？我为什么不向安东尼奥尼学习，拍一部像《中国》那样的《南宁》呢？

这是一个问题。

但一切问题我都要置之脑后，我要回到南宁火车站，我从火车站往右拐，就到了中华路，在十字路口再往左拐，就到了衡阳路，衡阳路这个地名我已经忘记十年了，在前面我还没想起来，现在它却忽然蹦出来，跟孙悟空从石头里蹦出来一样神。衡阳路最漂亮的门面是南宁棉纺厂，简称南棉，那是一个规模宏大的工厂，它到底拥有一万人，还是两万人，抑或是十万人，我一直没有弄清楚，我始终就是一个不够精确的、永远搞不清数字的人。但是南棉是最大的企业这一点我早在1975年就知道。

我从1975年就开始热烈向往南宁棉纺厂，当时我是一名高中生，在离南宁几百公里的一个县城上学，这个县叫做北流县，要先坐汽车到玉林，再坐七个小时火车才能到南宁。省会、高大的厂房、自动化的机器、纺织女工洁白的帽子、把腰系得更细胸挺得更高的围裙、一部崭新的电影就降临了。这是一部跟灰色陈旧的小镇截然不同的电影，是灰色小镇上空的幻影，带着金属的光泽、被无限美化了的机器声、现代化工业的诱惑（工业对一个农业小镇的诱惑就如同一个男人对一个女人的诱惑），该电影在我们教室的天花板闪闪发光，在小镇的天上摇来荡去。

我们多想凭空出现一条通天的梯子啊！我们将抓住这把梯子，像最惊险的电影镜头那样，英勇无畏，一步一步地攀上去。

有一天，我们忽然被告知，这把梯子是有的，不过它不在天上，而是在地上，虽然在地上，却又与天有关，它的名字就叫做广阔天地，来自毛主席的语录。

这时我们全都知道了，毕业之后我们只要到农村去锻炼两年，只要表现好，就会被推荐到南棉当工人。为了到南棉去我们踊跃报名去农村，这件事情给了我们一种真实的幻觉，好像去农村就是去南棉，只要去了农村，就一定能到达南棉，农村和南棉之间的距离完全被我们取消了，中学生的头脑从来就是最好的头脑，一厢情愿地篡改现实，想自己愿意想的好事情，坏事则统统不想。

事情就是这样，等到我后来真的到了衡阳路，我才明白南棉是万万不能去的，去了就会被机器震聋耳朵，九十年代还可能下岗。

过了衡阳路，险处不须看。（注：这句话的出处来自著名诗词《水调歌头·重上井岗山》，"过了黄洋界，险处不需看"。）

衡阳路一过，就到友爱路了，友爱路在我十九岁的时候叫大寨路，当时我只差一点点就要调进电影厂当编剧，几乎当上全国最年轻的在职编剧，这是我值得大大炫耀一番的事情，有关这件事，我统统写在我的长篇小说《一个人的战争》里了，如果这件事是真的，经过了《一个人的战争》，它就会变得更真，如果是虚构，经过了《一个人的战争》，它就会从假的变成真的，这样看来，说《一个人的战争》是炼丹炉也有一定道理。

所以你要看看这只炼丹炉，它是很好看的。作为一部小说，它跟本文有一定的互文性。但是它的版本杂乱，是一个烂泥潭，这是因为当时有人认为这本书比较惊世骇俗，出于不同的目的，有的版本被加上了一些杂碎，有的版本又被删去了一些杂碎，这样你会看到一只七零八落的炼丹炉，如果你不想欣赏残缺美，你可以去读长江文艺出版社的版本。

（有这么推荐自己的书的吗？）

友爱路或大寨路是一条郊区的路，这从路名就看出来了。当年它一定尘土飞扬，奔跑着不息的拖拉机、马车、骡车，有时候还会有水牛和大白鹅蹒跚跑过，如果它是在北方，一定跟《金光大道》（好像没有拍成电影，好像拍了，是王馥荔演的什么嫂）或《艳阳天》里的道路一样，但我十九岁的时候没有看到这一切，我只看到有一辆拖拉机轰隆隆地开过，车上运着一车斗的绿色的香蕉，一长挂一长挂的，像炮弹一样庄严而坚实。我在公共汽车的终点站大寨路尾下了车，怯生生地往前走，越走越荒凉，暮色苍茫，人烟稀少。

不过，我现在要说的是我二十九岁时候的事情。十年过去，我已经大学毕业，在省会南宁居住了五年，我已经是老油子了！我到广西艺术学院看画展，之后就一路骑车，穿越整个南宁城，来到了友爱路尾。

我们厂的大门是淡黄色的，是两根长方柱上面一道横梁，毫无特点。门口竖着一长牌子，上面写着厂名。（听说这些字是赵丹写的，赵丹在七几年的时候和黄宗英在柳州劳动改造。)电影制片厂在八十年代的边远省份是一个很神秘的地方，虽然大门平淡无奇，这样一个厂名还是能把我这样的人吓住，在我彻底习惯这个大门之前，它总是把我吓得心里怦怦跳。

越过惊心动魄的铁栅栏门，就来到一个大圆圈跟前，这个圆圈是水池，里面有长满青苔的假山，有水，有金鱼，绕池摆了三层花，红的绿的黄的，组成一个巨型花坛，我觉得这个花坛有两层含义，一是国庆节要到了（我从小到大受到的教育和暗示就是这样的，已经形成了条件反射，一看见花马上就会想到国庆节，后来到了北京，这一毛病又得到了强化），二是这里是全厂的中心地带，就像天安门是北京的中心一样。后来的事实证明，我的第二个想法是对的。

站在这个花圃广场上，我有一种四面受敌的感觉，事实上四面一个人也没有，但由于此处太空旷，任何一个方向出现任何一个人，都会一眼就看到我，我很希望这里马上出现一些树，只要有树荫遮住我就会有安全感，不过所有的树都在围墙那边，这里光秃秃的。

现在我要回宿舍，有两个门可以通向宿舍区，一是厂区和宿舍区连接的边门，一是正对着马路的大门。如果不是上下班，我一般不会穿过厂区再从边门进去，当然我现在也不会这样走。

我从米黄色的厂门口骑过去，赵丹的字一闪就过去了，铁栅栏门一闪就过去了，围墙就长一些，要闪好几闪，围墙内外都有树，我一直不知道这些树叫什么名字，它们的叶子特别长特别大，很像芒果的叶子，树荫特别浓，闪多少闪我都不腻。

宿舍区里楼房林立，全是清一色的六层红砖楼房，我们厂的房子真是太多了！据说人均住房面积是三十平米，跟西德的水准持平（这么多房子也不分给我，我至今心怀怨恨），可见我厂地皮辽阔。说到地皮我马上想到卖地皮，这是九十年代的事，当时电影厂开始发不出工资，有钱的大老板就看中了我们的地皮，我们全体职工第一感谢买（也许是租，因为地皮是国家的，但从头至尾都听说是卖，我不是很清楚）地皮的有钱老板，第二感谢当年选厂址的前辈，幸亏圈了这么大的一块地方，幸亏圈了大寨路尾。

据说当年厂址的首选是南湖，理由是南湖风景秀丽，适合来人参观，可见前辈们跟国内时尚是接轨的，也许跟国际时尚也同样接轨，听说美国的好莱坞就是可以买票参观的。我没有去过美国，但我去过长春。1992年春，我参加了中国残联组织的首都新闻记者采访团赴东北采访，第一站沈阳，第二站就是长春，所到之处热烈隆重，省委五大班子一齐出来接待，各种材料都是现成的。这使我们有时间逛东逛西。

长春方面安排我们参观长春电影制片厂。长影是我小时候特别向往的地方，我同时向往的地方还有北影、八一、上影、珠影。

我小时候生长在广西北流。我的家乡离北京上海长春有十万八千里，要有孙悟空的本领才能去得了，众所周知，孙悟空是一神话人物，所以北京长春也是神话里的地方，是根本不可能去的。

这就是我当时的认识水平。

因此我在阁楼上翻看旧电影画报就像看《西游记》一样，我久久端详着上面的秦怡、上官云珠、白杨、张瑞芳、谢芳、田华、祝希娟、王晓棠、王丹凤、舒秀文、黄宗英、阮玲玉、胡蝶、赵丹、周璇、王心刚（我是多么热爱他们啊！），我坚信他们都是在电影厂那样的天堂里诞生和居住的，每天吃的都是天上的甘露仙丹，根本就不是真人，而是一片仙草，它们在天上的河岸随风起舞，只有在需要的时候才变成人形。

一个没有见过世面的人持这样的看法是天经地义的，如果她当时就知道电影都是人演的，她就很有可能是一个外星人或者一个妖怪。我宁可她当一个傻丫头。

现在虽然已经是九十年代，但童年的烙印是深刻的，不管我受过多少教育和冲击（冲击这个词让我想到被河水冲下来的滔滔泥沙，它巨大的力量完全能轻而易举地把一个人淹没，当然，这样的泥沙就是大量的电影垃圾，它们像沙子充塞银幕，又像泥汤，流进数以亿计的电视机里），我对电影的热爱仍然停留在童年时的强度上。

只要电影这条狗从黑暗中把它的长须触到我的脸，这时我就会感到心里拥有一团视死如归的念头，脚底心顷刻就热了。

我们在长影看了四十年代的吉普车，看了大炮，在仿古街上照了很多相，又上楼听了怎样发出打雷的声音，之后就来到了最后一个景点。

这里的布局很奇怪，有一只秋千，隔了两步远又立着

221

一只两人高的大瓷花瓶，又隔了几步是一面大墙，上面黄底黑字，刷了"长春电影制片厂"七个大字，每个字都有两张桌子那么大，此外再无其他。

这种傻乎乎的地方比较适合我。

我像箭一样一头冲向秋千，与此同时，只觉得心里灵光一闪，我顿时悟到这是《末代皇后》里的秋千，是扮演婉容的潘虹坐的。潘虹是我心仪多年的明星，我跟大多数八十年代青年一样，喜欢忧郁的美，在所有演员中，潘虹最符合这一点，她的眼睛特别大，把全世界的忧郁尽装其中，不用看她的戏，只需看一眼她的照片，忧郁就会顿时笼罩黑夜，并且从黑夜蔓延到白天，好像她的忧郁是特别浓缩的东西，要用很长时间才能化得开。

在八十年代的很多时候我是一个忧郁的人，青春、爱情、才华，统统化成无边的忧郁，如果我当时就写一部《电影记》（开始的时候我打算写一部《电影记》，但最后写成了这部《玻璃虫》），一定不会具备这种舒展的笔调，肯定是忧郁——挣扎——再忧郁——再挣扎——直至灭亡。时代的痕迹是深刻的，现在我虽然不忧郁了，但审美趣味也没跳跃到热爱九十年代的"酷"，我对酷一点都不理解，谁要是装出一副酷的样子我就更不理解了。但如果有人告诉我"愤青"就是酷的话，我会觉得比较好玩，我喜欢"愤青"这个词。

我的潘虹，我的忧郁皇后，在九十年代初她开始过气的时候出现在长影的秋千上，当然她本人不在，是她的气息停留在那里。于是忧郁变成了喜悦，我双手紧紧抓住秋千的铁链，双脚使劲一蹬，整个人就荡起来了！

春天里阳光明媚，微风拂过我的身体，我在飞动中舒服得尖叫起来。在这一刻我感到，做一个能尖叫的人是多么好啊！从这一刻开始，我内心的八十年代轰然落幕，而潘虹，也带着她的忧郁远去了。

三

在有些日子，我喜欢臆想我的小说被拍成电影。

由谁来拍《子弹穿过苹果》最好呢？这样的问题一旦回荡在我心里，我马上就会想到布努艾尔。

我觉得由布努艾尔来拍《子弹穿过苹果》比较好。

在这个念头中我看到一些新鲜多汁的苹果像泡沫一样从墙角的四周冒出来，它们一边飘一边变大，空气中马上充满香甜的气味，子弹则在很远的地方，扭来扭去的，在整个愉快的下午我都不让它发出响声。

如此看来，这是一个健康正常的画面，经得起最严格的审查。但是《子弹穿过苹果》里有一些怪诞和暴力的场面，有透明的皮肤里像珊瑚一样的白色骨骼，有腥红的鲜血洒到墙上，有刀片，刀片在小说一开始的时候就划破了眼球。所有这些，都是来自布努艾尔，他当然轻车熟路，即使在他死去十六年后的今天，即使他在坟墓里，这样的场面他都会轻而易举，一挥而就。假如他不想炒旧饭，我就要告诉他，西班牙的眼珠子和中国的并不一样。

就是这样。

如果斯琴高娃是马来人种，她演蓼最合适。她将扛着一大捆家织的白布穿过闷热的丛林，她要裸着上身，身体上涂一层油（橄榄油或蓖麻油）以代替出汗，她将在河岸上疾走，一直走到我家的后门，在我家宽阔的厨房里和我的父亲拥抱。她要有一点巫气，她的眼睛要像猫一样在黑夜里发出光。她的手指甲很长，长得翻着卷，她的手掌散发出淋漓漓的雾气，说话的声音有一点沙哑。

那个演《黑炮事件》里男主角的人叫什么了？我一时想不起来。

好像是叫刘子枫，我觉得由他来演我的父亲最合适。不过这是我虚构的小说中的父亲，据我的叔叔说，我的生身父亲身高一米八零，是一个英俊男人。我小说中的父亲就是刘子枫那样的，他1957年下放到县里，在中学里当美术教师，他既爱我又爱蓼，更爱画画，这三种爱绞在一起，把他搞得精疲力尽。

我小时候则由我的女儿马林果扮演，马林果这个名字是迟子建取的。这是一个小范围通用的名字，在户口本上则用了另一个名字。

马林果长得越来越像我了，她将不用化妆，不用调教，她天生就是橄榄色的皮肤，她的眼睛大大的，额头高高圆圆的，这样一个女孩出现在银幕上是多好啊！

最后（好了，其他次要人物就不管了），我要提到两种植物：蓖麻和木棉树，在《子弹穿过苹果》这样一部电影里，它们是另外的主角，像人一样重要，它们巨大的叶子将布满整个画面，细小的筋络放大数倍，它陌生的样子使所有的人大吃一惊，它们饱满的液汁沿着筋络快速奔流，发出摇滚般震耳的声音，蓖麻叶子浓绿的阴影覆盖在蓼的身体上，发出清凉的光芒。

我喜欢暴力的某种形式。但那肯定不是真正的暴力，而是暴力在电影上的慢镜头，是暴力的一个影子。

在瓦格纳或贝多芬的音乐下，他们（《发条橘子》里的街头少年）指挥舞着拳头和单腿飞起，这些动作慢到没有任何攻击力，成为了超越自身惯常体态的高难舞蹈，这种舞蹈因为奇怪而美，又因为奇怪而产生一种震慑之力。力与美在这里都脱离了具体的暴虐，升华到空中，并与大师的音乐融为一体，使我久久迷醉。

像我这样胆小的人竟然敢说自己喜欢暴力（哪怕不是真正的），追根溯源，这都是因为库布里克和他的杰作《发条橘子》。

《发条橘子》，1971年的美国片，我在1988年的香山看到了它，它是当年八十多部片子中最具震撼力的一部，到目前为止，也是我最喜欢的片子之一。我隐约听说它改编自一部文学作品，但我一直不知道原著者是谁，也从未在书店看到过，奇怪的是，在漫长的十年中，我没有听到任何人提到过它。直到1997年，在《世界文学》杂志的一次会上，我才在申慧辉女士的发言中第一次听到《发条橘子》的名字，听到这四个字我心里一震，好像一个失踪十年的至交突然来到了我的面前，使我百感交集。申慧辉说还有许多事情要做，像《发子橘子》这样的优秀作品就还没有中译文（大意如此）。《发条橘子》就像一种温暖的颜色，从申的嘴唇蔓延到她的全身，我顿时觉得她分外亲切，《世界文学》也分外亲切，我知道，将来的一天，我就能看到《发条橘子》的中译文了。

很多年来，我心目中的《发条橘子》只有一部，那就是库布里克的《发条橘子》。我总觉得，有没有原著的中文译本并不是特别重要，有电影就够了（这真是特没文化的一种想法）。这部片子对我视觉的冲击比一切文字都强大，这是我永远无法抗拒的。在贝多芬第九交响曲的音乐声中，几个街头不良少年在深夜的薄雾中穿城而过，他们时而像英雄，时而像木偶。我第一次在电影中看到真人立时变得像动画一样，觉得真是新鲜极了。凡是有做爱的镜头（有时是一对一，有一次是一个男的和两个女的，女的可能是妓女）他们立即变成木偶、或动画、或机器人，但请不要以为是真正的木偶动画和机器人，而是那种僵硬的快速动作使你不能不想起木偶，没有正常时速，没有过程，再复杂的做爱也在两秒之内完成，晃几晃就过去了，连眼睛都来不及眨（这种手法可以大量引进，而电影审查也会比较好过关的吧？一点都不黄色）。然后他们被收容到监狱里接受改造。

监狱里发明了一种奇怪的新方法，用贝多芬第九交响曲来改造少年犯，一边放"贝九"，一边强迫少年观看最残暴最肮脏的电视镜头（或是现场？），工作人员揪着少年的头发，不让他们低下头，用力扒开少年的眼皮，不让闭着眼睛。深度的刺激，深度的精神摧残，让少年在最刺激感官神经的事物和贝多芬音乐之间产生牢固的联想，像条件反射一样，任何时候、任何场合，只要一听到贝九，就会产生强烈的感官不适，恶心头痛，难受得满地打滚，这样就能制止任何不良行为。

经过长时间的折磨，实验终于成功了。监狱把这当成一项伟大的成果，在各种媒体广为宣传，一名官员给监狱的一名胖子挂了一枚勋章。大功告成，少年们被放回了社会。

有一个深夜，这几个不良少年潜入了一名作家在山上的别墅，作家是一个老人，七八十岁，满头白发，残疾，坐在轮椅上，他的妻子十分年轻美丽，看上去二三十岁的样子。不良少年把妻子双手反绑住，嘴里塞了毛巾，并且找出剪刀，在她的睡衣前胸上剪了两个大洞，让她的两只乳房从洞里露出来。作家痛苦地看着这一切，但他没有任何反抗的能力。

终于，作家想起了传媒有关改造不良少年的新成果的报道，他推动轮椅，拿到了制胜法宝"贝九"，黑暗的别墅里响起了强劲的贝多芬音乐。在最后，一名不良少年在别墅的屋顶被贝九弄得痛不欲生，他终于大叫一声，从屋顶跳下来，在《欢乐颂》的乐声中摔死在屋外的草地上。

我是一个特别不爱思考的人，但是我感官敏锐，感情强烈，我被以上画面极大地震撼，久久地沉浸在细节中，直到第二天傍晚，一个拨开迷雾的人才使我明白此片的深意。

这个人就是我的班友（国际电影讲习班），当时北京大学的青年教师伍晓明博士，十年来，我跟伍晓明没有任何联系，我想他肯定已经漂洋过海、远走高飞了。当时伍是我们班最有学问的人，他对课堂上大讲结构主义、符号学深为不满，他对我说，这些东西在文学界早就过时了，这里才刚刚开始讲，电影界总是比文学界落后。于是，在晚饭后我们就一块散步到了樱桃沟。

樱桃沟荒草丛生，举目不见樱桃。我大谈《发条橘子》，伍大谈尼采。到最后，关于《发条橘子》达成了一个共识：暴力固然可恨，但通过国家机器对人进行精神摧残，把人变成机器则更可怕。

伍晓明不知今在何方？

十年来，《发条橘子》从未像现在这样连成完整一片回到我的记忆中，这是因为叙述的需要，因为很多人没有看过这部片子，我需要讲述这个故事。

事实上，在我想到《发条橘子》的时候跳出来的总是某个细节，慢镜头中飘浮在深夜街头的不良少年，从屋顶上摔下来，美丽女人的睡裙前襟被剪开两个洞，乳房从洞里露出来。这些细节就代表了整部《发条橘子》，是这部片子的最高处，也是库布里克模糊不清的脸。

在我眼前出现最多的就是女人睡衣前面的两个洞，以及从洞里探出的乳房，美丽的乳房和令人惊异的洞，这种组合令人心碎。正因为如此，这个场面脱离了《发条橘子》，单独飞翔在黑暗中，它化作了一个露着乳房的女人，潜入我的梦境，有时猝不及防地出现在我的小说中。我的《猫的激情时代》中就有这样一个场面，而我一点都不知道她通过什么途径到达那里的。

我对库布里克所知甚少，至今也没见到过他的相片。我知道他是一名遁世者，从不接受采访，他一生中只拍过一部好莱坞片，那就是《斯巴达克斯》，好莱坞使他痛苦不堪，《斯巴达克斯》是他最糟糕的一部片子，从此之后，他再也没有跟好莱坞合作过。在《发条橘子》之前，我看过《斯巴达克斯》，好像就是在星湖电影院看的，当时我不知道有一个库布里克，所以我从不把这部片子看成是他拍的。

听说库布里克有一部电影叫《全金属外壳》，这一片名使我不寒而栗，多么寒冷的名字，简直可以用来做冰箱的广告了，冰冷的雾气从这几个字的孔道呼呼喷出，全无人间气息。

我不知道这片子是讲什么的。我没有机会看到它。

我想我再也没有机会看到库布里克的其他电影了。

《致命的飞翔》和库布里克，这种联系也许并不突兀。

那么，由谁来演北诺呢？

如果这是一部旧上海的片子，可以请台港演员。但《致命的飞翔》必须由大陆演员来演。

李风绪，我忽然想到了这个名字。我没有看过她演的任何一部电影，她主演的最有名的《青春祭》是八十年代的一面旗帜，关心电影的人没有看过真是太荒唐了，这只能说是缘分未到。

但我看到过《青春祭》的剧照，那上面的李风绪给我留下了深刻的印象，她眼神阴郁，脸部线条富有力度，气质独特。让我们给她戴上耳饰，涂上合适的口红，一个北诺就会应声而起。

李苪，小说的叙述者，也是电影中的并列一号，我马上想到了娜仁花，我当年的女友南丹坚持认为她是中国最好的女演员。在那以后，我看到了娜仁花主演的《湘女潇潇》，但若按潇潇的路子来演李苪显然是不行的，需要变一个戏路。听说优秀演员都是喜欢挑战的，我觉得按娜仁花的潜质完全能够成功。

男一号是登陆，年龄在五十五岁到六十岁之间均可，板形和气质都要很好，要有学者风度，年轻的时候像三十年代的电影演员。这样的人在北京还是不少的，只是在电影界不多见，这都是被丑星抢了风头的缘故。但最后总是能找到的，不会特别难。男二号是那位秃头官员，虽然戏不多，但十分重要，是关键的场合，他最后被北诺用菜刀砍死。这个角色有一点外形和演技的要求，既道貌岸然骨子里又十分好色的那种。

电影就是有这样的好处，小说中大段的文字描述只用一个镜头就可以解决，北诺身体的每一个弯度、每一处亮泽、每一个暗处，她的乳白色真丝内衣上的那朵丝绣菊花，柔软轻盈，带着皱褶堆积在一只陈年的红木圆凳上。凳罩用一种碎花棉布做成，深红浓绿，细细碎碎的一片，中间镶着本色白的菱形图案，风格有点像秀水东街出售给外国人的那种拼接图案的床罩。这一切，都在一个镜头里，我希望这个镜头长一点，让一些人沉浸其中。

然后，最高难度的地方就要出现了，这种难度世所罕见，需要同时表现出两个女人在不同的地方感受到的性体验。无论什么样的导演都将放弃以下的描写：

有一种潮涌在我们身体的中间漫洇。我看到北诺的衣服和男人的衣服重叠在一起……他们的声音在床铺和圆凳的上方撞击，她发出的叫唤被一种强大而结实的东西堵住，血液奔流的声音在画外隆隆作响，像瀑布、林涛，又像火车行进的声音，我们体内的汁液就是这声音的源泉，飞湍的激流在我们的身体内，我们的身体在飞湍的激流中，肉体就是激流，我们从高处往低处流淌，超出常规的速度使我们骤然失重，体内被抽空又被充塞，身体一次又一次顺流而下，水花飞溅，我们发出一声声欢快的叫喊。北诺和我，我们体内的汁液使我们闪闪发亮。

　　这种写法还有多处，它们分布在小说的各处，在最显眼的地方，像有毒的罂粟花，在暗处发出微光，在阳光下则因明亮而燃烧，鲜艳夺目。但它们不仅是美丽的装饰，更是作品的要害之处，犹如一个人的双眼。

　　已经逝去的库布里克是不会放弃它们的。

　　哪怕它们是天上的星星，他也要把它们抓到手上，让它们按照他的方式，在他的电影中旋转。他是否会运用动画手法，两个人一转就变成一个人呢？他是否让画面上出现一个浴室，喷头水花飞奔而下，"水花溅到女性的躯体上，如同一棵树优美的躯干上迅速地长出许多透明的花朵，它们飞快地变幻，一秒钟也不停留，它们在一秒钟之内生长和消失，另一秒钟诞生的又是一些新的花朵，它们从不重复，自天而降（天就是高处的喷头），携带着激情和力量，它们是一种向下流淌的火焰，所到之处，唤醒了我们的血液。我们总是敞开我们的躯体迎接这奔流而下的——水。"这个镜头将会长久而细腻，停留五分钟之久。然后，浴室里的女人不见了，水流的声音像瀑布一样轰鸣，两个女人叫喊的声音将从不同的角度响起。

　　还有那把刀，刀刃雪光闪闪，像雪山上的月亮那样高洁。女人拿着刀，就从男人身上一道微微跳动着的细管切了下去。鲜血呼啸着冲向天花板，它们像红色的雨点打在天花板上，又像焰火般落下来，落得满屋都是。这个过程将在我对慢镜头的期待中出现，它们真的是非常非常慢，慢到那些黏稠的液体都连成了一条细细的线，犹如满树繁花，灼灼其华。

这部不存在的电影令我无限神往。

关于伯格曼，他是我心仪的大导演，但他的片子我只看过《芬妮与亚历山大》，他的晚年作品，并不能真正代表他的风格。此外我还看过由他编剧的《美好的愿望》，这部电影讲述他父母的故事，感人至深，但不是他导演的。

我多次听人说起《哭泣与耳语》《野草莓》《第七封印》，但我一部都没看过。现在我只能从台湾远流出版社的《柏格曼论电影》里吸吮它们的气息，但那只是少量的剧照、工作日志、在拍摄之前和拍摄之中的思绪以及对某一个演员的夸奖，离那真正使我激动的影片还很遥远。

尽管如此，我还是认为《说吧，房间》适合伯格曼。

在赤尾村的一个房间里（不是瑞典的某个红色的房间），两个穿着睡衣的女人走来走去，她们哭泣、耳语，跟伯格曼的那部电影一样。但她们只有两个人，不是四个。然后，南红（不是安妮）快要死了，她的血从下体流出来，渐渐变得像纸一样薄，老黑（不是玛丽亚、凯琳、安娜）在等待她死去。老黑躺在南红腾出来的半边床上，握着她的手。

我想到的就是这些。

我幻想由一个八十年代出生的女孩来拍《一个人的战争》，一个九十年代出生的女孩拍《同心爱者不能分手》《瓶中之水》《回廊之椅》，当然这个女孩不会是我的女儿马林果。我希望我的女儿能成为一名九十年代出生的女作家。等到有一天，当我看到报纸出现《九十年代出生的女作家闪亮登场》的大字标题时，我就真正得救了。我不能让我的女儿当导演，那是一个累死大水牛的活儿。

四

把现在的小放映厅看作是通往故乡的路是我所不愿意的。

它们虽然功能良好设备齐全，但却封闭得像一只铁桶，密不透风，空调的气味使人头昏。这样的地方还常常没有人，因而显得阴森诡秘，好像墙上随时都会走下奇怪的东西。今年夏天我带女儿上东四的一家电影院看《宝莲灯》，这使我见识了九十年代的放映厅，那是一处需要路标指引，七拐八弯，柳暗花明才能寻到的地方，里面空无一人，似乎我们误闯了秘穴，暗器已经四伏，只要我们往前跨一步，刀枪剑戟就会嗖嗖飞出。在开映前的一分钟，我们壮着胆走了进去，在开映前一秒钟，又闪进来一对恋人，他们坐在我们的身后，发出一些暧昧的声音。

我不喜欢在这样的地方看电影。

回故乡之路应该是一条宽阔的大道，像足球场那样辽阔，脚下是浓密的草地，青草的芬芳一阵又一阵，使我们没看电影就感到陶醉。四周要有树，最好是高大的柚加利树，这种树发出的气味可以驱散夏夜的蚊子，柚加利树一定要多多的，以便形成屏障。这时候，清凉的空气从树叶间鱼贯而入，在人脸上轻轻摩娑，使我们的心变得柔软，在柔软中不由得仰头深深吸一口气，一仰头我们就看到了头顶的星空。

还要有许多人，男人和女人，老人和小孩，他们吃过晚饭就从四面八方赶来，三五成群，呼朋唤友，手里拎着小板凳，肩上扛着条凳，也可以带一块塑料布，也可以什么都不带，来了就一屁股坐在草地上，草地天生就是让人坐的，就像电影天生就是让人看的。电影喜欢人民这个词。

在远处，有好些水田，水是一汪一汪的，蛙鸣传过来，还带来了有一点腥味的湿气，水稻在星光下，无限安静。

再也没有比这更好的电影放映场了。

这当然不是别的地方，而是我小时候经常看电影的县体育场。我在那上面看了无数遍《地道战》《地雷战》《平原游击队》，此外还有《新闻简报》《万紫千红》《侦察兵》《无限风光在险峰》《工艺美术》《庆祝五一》《东海小哨兵》《小号手》《对原子武器的防护》《战洪图》《闪闪的红星》《成昆铁路》《让友谊之歌代代相传》《代用木材》《家鱼人工繁殖》。

青草和电影的气息混和在一起，成为我梦想的来源。

另有一些秘密的地方，是另一种通往故乡的路。

那是一条只对少数人开启的路。在某个夜晚，这样的路上会出现一些年轻人，他们的发型衣服都有一点古怪，好像跟大街上的人过的不是同一种日子。女孩子秃着头，秃了头的女孩个个都很漂亮，反倒留着长发的女孩显得一般。披长发的男孩有许多，他们有的在后面扎一个鬏，有的不扎，扎与不扎都很洒脱。这时你就会明白，这些男孩和女孩，都是年轻的艺术家，他们是未来的导演、演员、未来的画家、摄影家、诗人、作家，他们怀着热情和对艺术的憧憬，从外省来到北京，在京城的边缘，租住着农民的房子，他们吃着方便面，制作出自己的作品，然后到处寻找成功的机会。居然真的有人成功了，一夜之间获了国际的奖，一个很不起眼的人顷刻变得光芒四射，并且升到了天空，成为了年轻的明星。

现在，这个幸运的人请大家看他的作品，一部纪实风格的电影。

朋友之间口口相传，这边刚接了电话，那边赶紧又打过去。电话邀请电话，在电话里已经是热气腾腾，再冷的天都不怕。然后，他们汇集在某一处，由一个人带路，在黑暗中七拐八拐，到达一个秘密的地方。

1998年12月，我就是这些人中间的一个。我和我的女友陈鱼穿着长及脚踝的大衣，在晚上七点半赶到左安门宾馆集合，然后跟随人群，走进寒冷的黑夜中。

我们上台阶下台阶，拐了几个弯，来到一幢白色的四层楼跟前。听说这是一处私人住宅，但毫无住家气息，在半明的灯光下，狰狞怪诞的图腾柱在拐弯处森然伫立。

我们要在这里看贾樟柯的电影《小武》。

贾樟柯和他的《小武》是1998年电影界的奇迹，在这一年里，这部片子获得了来自柏林、釜山、温哥华等六处国际电影节的大奖。这样的片子只有在奇怪的地方才能看到。

在寒冷的黑夜我们在电影里取暖。

银幕上的火流泻到我们身上，人人的脸上都闪着微光。贾樟柯把电影里的山西方言翻译成普通话，日常生活中的小偷、警察、三陪小姐、婚礼、公共汽车、噪音、澡堂、水龙头，统统成为了另一种永恒的美。

对我来说，有什么比电影更像我真实的故乡呢？

补记 上天的礼物

　　我在1999年11月4日把这部小说的正文部分寄给《大家》，6日就动身到成都去。独立制片人刘仪伟邀请我参加一部电影的拍摄，是一部故事片，由王彤和王志文主演，其中需要一些纪实的内容作为穿插，刘仪伟请了十一个作家参与纪录片部分的拍摄。

　　我接到这个邀请的时候正在写作这部《我的电影生涯：一部虚构的回忆录》的最后部分，我每天沉浸在以往岁月里对电影的眷恋之中，忽然听说我将要去拍电影，是胶片，不是电视片的磁带，我的第一感觉就是天上再一次掉馅饼了！

　　天上第一次掉馅饼是在我十九岁那年，当时我正在田里干活，忽然就听说广西电影制片厂要调我去当电影编剧，喜从天降，生活比戏剧走得更远。

　　我多么喜欢戏剧性啊！

　　我相信在我的身后有一个神，是他给了我这个礼物。如果我没有写作这一部关于电影的长篇，我会不会在写完这部作品的时候，恰好就有机会去参加一部电影的拍摄呢？我想一定不会的。

　　拍电影既是我的礼物，又是我的节日。

　　我虚张声势写下的"电影生涯"其实并不是真正的电

影生涯，它充其量不过是一个电影文学编辑在电影厂的所见所闻，以及她所经历的一切，是电影生成（或未生成）前的目击者。她把这些称之为"我的电影生涯"，这是多么虚荣啊！

我喜欢拍电影这个词，我喜欢对人说我去拍电影了，这使我声音温婉，面带微笑。拍电影是我从小的梦想，在八岁的时候开始滋生。非分之想，如同一种古怪的植物，生长在幽暗的阁楼上，电影画报（只有《大众电影》）上的明星美人成为我隐密的营养。在我的幻想中，我的头发生出她们的头发，眼睛生出她们的眼睛，我在静止中扭来扭去，在无声中发出电影里的声音。在黑暗中我是多么激动啊！我完全忘记平淡的小镇了，忘记我的沙街、我的学校，我的孤独、我的噩梦，忘记我自己又黑又瘦的样子。我真的是谁变得一点都不重要，做一秒钟的明星，做两秒钟的美人，闭着眼睛飞到电影里，经历无限的爱与死、友与仇。但我知道，拍电影这件事，离我比天堂还要遥远，登天的梯子从来就不会有。

梦想成真，上天对我真是太好了。

我不会告诉你这部电影的名字，我只告诉你它的导演是吕乐。

我也不会告诉你哪十一位作家参加了拍摄，他们当中有的人将青史留名（事实上已经青史留名了，有某周刊选出的二十世纪百部优秀作品为证），有的人则会被时间湮没。

郫县，在成都郊外的薄雾之中来到，它美妙的川菜，它桃园里的 9 号楼，它永远的阴天，将成为我生命中的花朵，我将会在隐密的思念中，听到它们夜晚深处的呼吸。

在夜晚的深处，凌晨一点、两点、三点、四点，对我来说，它们全都是陌生的钟点，我从不熬夜，所以从未见过它们。现在，这些钟点跳荡在郫县夜晚的雾气中，从桃园的柳梢和秋千、落叶和流水之间闪亮来到，它们扭动着进入我们的 9 号楼，从半掩着的玻璃门鱼贯而入，半夜一点、两点、三点，它们来到我们的灯光中，停留在每一个人的脸上。

整幢楼都是我们的人。我们一人一个房间，但谁都不愿呆在房间里。

我们就像亲人一样彼此依恋。

大家全都聚在一楼的厅里。厅里有一张麻将桌，有几张椅子，大家又从各自的房间搬出了椅凳和沙发。只要不睡觉，我们就聚在一起，而为了更长时间地在一起，我们就尽可能地不睡觉。

我们需要彼此看见，看见才使我们心安。我们在互相不认识的时候就已经是亲人，我们认识了就更加是亲人。

亲人这个词使我心碎。我知道，这仅仅是一种文学上的缘分，一旦分开，没有理由就很难再见面了。亲人仅仅是一个词，而不是现实本身。

所以我们总是要呆在一起。到深夜。

围在一起抽烟、喝茶、说话。听一个人说，像最亲近的人那样倾听，因为他说的是他的初夜。那是二十多年前的事情，在草原上，和一个异族女子，整个过程笼罩在月光中。月光如水。

有多少事情我们前所未闻、无从想象，就有多少新的世界在降临。

然后是另一个人说，他是一个语言天才，他让我们笑，往死里笑，笑得七歪八倒，全身抽筋，该岔气的笑岔了气，好好的五脏六腑也都笑得不成了样子。每个人都忘了自己，淑女已不像淑女，作家就更不像作家。人人都被他通上了电，电流从他的身体里源源不断地奔腾而出，照着我们的五官强烈闪动。

笑过之后我们全身酥软，面若桃花。

我不知道有什么可以与之相比，也许是性高潮？或者是美酒？

那个把气体变成电的人坐在那里，我们也坐在那里。我们一直笑到凌晨三四点，然后才各自回房睡觉。

我们十一点起床，直接吃午饭，中午开始工作。

拍摄现场在主楼的三楼会议室。奇怪的灯被安放在奇怪的地方，像探照灯那样的两只家伙绑在另一幢楼的墙上，惨白的光从窗口射进来。室内有一些闪亮的东西，又有一大片透明的黑纱，这些都跟光线的效果有关，反光或吸光。

地毯上贴着一道道彩色小条，上面标着数字，门口用两张厚毯捂着。一个神秘之所就这样诞生在郫县的桃园。

记者们从成都赶来，《商报》《都市报》《晚报》，成群结队。他们神通广大，早就知道了我们这伙人里有当前的热点人物、文化英雄、万众瞩目的明星，他们必须拍到他的照片，采到他的最新言论。他一下飞机，在机场出口处就被堵住了，一位长发的年轻女孩打了一辆出租车，一路尾随

241

至郫县。年轻的记者陆续赶来，等在大厅里，从下午到晚上十点多，空着肚子。他们每天都来，每天都被制片人一次次拦住，他们只能看见挂在门口的两张厚毛毯。

在毛毯里我们端坐在会议桌前，机位已经定好，光也已测过，马上就要打板了。

打板，多么令人激动的时刻，只有拍电影才要打板，打板是凡俗生活和电影之间的本质区别。一打板，我们就将开口说话，一打板，我们的音容笑貌就会被记录在胶片上。

轮到我了。我从四肢开始聚集力量，但大脑却一片空白，就像短跑运动员蹲在起跑线上，精神高度紧张地等待枪响。在我听来，木板之间的撞击就如同子弹穿过枪管，它们将发出响彻云霄的声音，惊心动魄，我则如惊弓之鸟，应声倒下。

我热爱镜头就像我害怕它。

我在热爱和恐惧中将镜头同时变成了爱人和敌人，而我则成为了一个木偶。我多么想让自己立时变成一名真正的电影演员啊！像她们那样从容不迫，如入无人之境，面对镜头就像革命者面对枪口那样英勇无畏。哪怕是三流的演员，哪怕只是电影学院表演系的学生，就让我变成她们当中最差的那一个吧。

变成王彤当然更好。

王彤是一名好演员，演过《越南姑娘》，如果我是她，我将所向无敌。但王彤此刻正扮演一名文联的工作人员，不停地给我们这些以真实身份出现在电影里的作家倒茶。

我已经没有了退路，板一打响，我闭着眼睛就跳进了镜头的万丈深渊之中。等到导演喊停，我才从深渊中浮出水面，我甩掉水滴，睁开眼睛，发现自己竟然还活着，周围的一切也迅速清晰起来，朋友们的脸都在，我们这排五个，对面四个（还有两人暂时未到），他们鼓励我说：林白，你说得很好，很真实。

　　MM在最后一天到来。

　　MM是新人类，七十年代出生的女孩。在这之前我只看到过一篇她的作品，作品上有一幅照片，我无法想象她本人是怎样的，但我知道她跟我们从里到外、完完全全不同。有一个词，叫另类，这个词用在她的身上也许是恰当的，但这个词已经被用臭了，有人把许多不是另类的人称之为另类，于是这个词就臭了。我不想再用到它。也不想再看到它。

　　她在傍晚到来，我们的"戏"全都拍完了，只剩了她一个人的。

　　她没有照片上漂亮，整个人给我一种奇怪的感觉，她的着装也太随便了，她的头发太乱了，她的脸上好像没有化妆，皮肤粗糙。但她十分放松，满不在乎，浑不吝（浑不吝这个词在我的词汇里已经再生，成为了一个褒义词）。

　　一个穿越了摇滚、化学物品、性以及种种黑暗事物的女孩就应该是这样的。把生命都拿出来的人，漂不漂亮又有什么关系呢？

　　漂亮是庸俗的。

　　这一次是晚上拍摄，因为MM明早就要离开，她的男友将要再次浪迹天涯，她要赶回去送他。

　　多打了好些灯，会议室里亮如白昼。我们全体各就各位，就等着看她一个人。这阵势比我们经历过的拍摄场面紧张一百倍，我们怀着最大的好奇、善意和一点幸灾乐祸，等着看她。

她从容登场。

梳了一个奇怪的发式，换了一件奇怪的衣服，脸上化了妆。

她对大家说：我这衣服是不是太夸张了？

导演说很好很好。

她又说：我是不是要去换一件？

导演说很好看不用换。

然后她就坐到了她的位置上。所有的灯都对着她，所有的眼睛都看着她。她拿起将要回答的问题，点燃了一支细长的香烟。

一打板，她就开始说。

从容镇定，流畅自如，一点都不打结，半句都不重复，一套全新的语汇携带着全新的价值观，像晴天霹雳般来到我们面前。

我认为我的确是碰到了天才女孩。

一个初中没毕业就离家出走的女孩，一个如此年轻就具备了超人的悟性和惊人的表达能力的人，如果她不是天才谁又是天才呢？

与她相比，我觉得我们在座的所有人都老了。

我哭了起来。

当众痛哭。

我不知道为什么要哭，我就是特别想哭，想当着所有的人痛哭。谁都劝不住我，我不愿意离开现场，我要听她说下去。

她当时说了些什么我一句都记不住了。我现在可以记住她书上的一些句子：

> 我天生敏感，但不智慧；
> 我天生反叛，但不坚强。
> 我用身体检阅男人，用皮肤写作，
> 我认为我的小说和我的歌一样，
> 非但是即兴的，
> 而且是及时的。

> 在我经历着高潮
> 　　迅速醒来的那一刻
> 我预感到自己
> 　　将成为一个有很多故事的女人
> 而故事总是要有代价的

这些短句来自一本叫做《啦啦啦》的书。我喜欢它们。我意识到，MM和她的书，正是上天送给我的特殊礼物，她将成为我下一部长篇的开篇人物，我将给她取一个名字，这样，她就将从真实的她变成虚构的她。当她消失的时候，我的人物将出现，那是另一个女孩，只有十七岁。

1999年11月6日至12日，我爱你们每一个人。

从郫县到成都，从桃园9号到白夜酒吧，从都江堰到青城山，从刘文彩庄园到通住双流机场的晨雾，我爱你们全体。

　　谨以此文献给 1999 年 11 月 6 日至 12 日在郫县拍片的
全体人员。

　　　　　　　　　　　　1999 年 11 月 29 日下午六点半

　　（注：所拍的电影为《诗意的年代》）

附录

林蛛蛛收集的电影剧照 明星照及海报

小武 **Xiao Wu**

Fenyang is a god forsaken prefecture in inland China.

Xiao Wu is an artiste pick-pocket in this small town.

In 1997, Xiao Wu senses his life undergoing meta-morphosis.

This year, Xiao Wu lost some profound affection.

This year, Fenyang see a whole block of old houses vanishing.

(The entire film is in-terpreted by non-profes-sional actors.)

A coprod......
Radian...... ......ng (China)   ......mpan......(H......ong)
......lm Source.......... ...... gent
Hu Tong ....
Rm.1 2/F,...... ......t, Ta...... Jo...... ...... W......, Hong......
Tel.: (852) 2...... 3514   ...... (8...... 2...... ....

◀ 贾樟柯：《小武》▶

贾樟柯是1998年电影界的奇迹，他导演的彩色故事片《小武》在当年获得了第48届柏林国际电影节青年论坛大奖、第48届柏林国际电影节亚洲电影促进联盟奖、第3届釜山国际电影节大奖：新潮流奖、第17届温哥华国际电影节大奖：龙虎奖、第20届南特三大洲电影节大奖：金热气球奖、比利时电影资料馆1998年度大奖：黄金时代奖。

1998年12月，诗人欧阳江河打来电话，说将要在一处私人住宅放映《小武》。我和我的女友陈鱼如期赶到左安门宾馆集合，然后像参加秘密集会那样在黑暗的街道和楼群间疾步穿行，最后来到一幢白色的四层楼跟前。我们走上三楼，从一个人手里拿到了这张"明信片"。放映由欧阳江河主持，贾樟柯本人翻译山西方言对白。在散场的光线中有若干熟人的身影。

▶ 《罗密欧与朱丽叶》剧照

1999年5月1日晚上，我得到票去北展剧场看英国皇家芭蕾舞团的《罗密欧与朱丽叶》，此前我已知道此剧的男女主演均为芭蕾顶级人物，尤其是女主演希尔薇·圭勒姆，被誉为"芭蕾女皇"。在现场我看到男主演动作干净、富有力度，女主演特别柔软，但我没有感到震撼。我想起了八十年代在南宁看中央芭蕾舞团演出《天鹅湖》的情景，想起了八十年代的朋友们。当时我正在写作《玻璃虫》中的"男友们"一章，这场芭蕾舞作为一个触发点，影响了此章将近三分之一的篇幅。

249

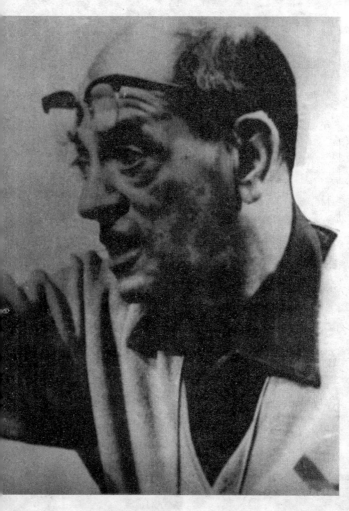

▲ 布努艾尔

　　布努艾尔是我在电影厂时期的最后一位男友最喜欢提到的电影导演，他喜欢提到《一条安达鲁狗》，对刀片划破眼球的细节津津乐道。尽管布努艾尔的电影我一部都没看过，他仍然对我产生着重大影响。

▲ 拍《黄金时代》时的达利

　　达利是一个众所周知的超现实主义天才，他的自传、谈话录跟他的绘画一样奇异。作为布努艾尔早期的合作伙伴，《一条安达鲁狗》和《黄金时代》灌注了这两个人的梦境和疯狂，成为达利在绘画之外的又一超现实主义神话。

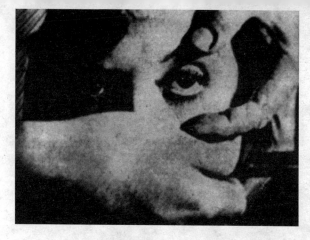

▲ 布努艾尔：《一条安达鲁狗》剧照

这张剧照好像正是那个令人震惊的细节的前奏：锋利的刀片马上就要划破这只被掰开的眼球了。尽管我在1994年才看到这张图片，但我写于1988年的中篇小说《子弹穿过苹果》却受到了它的影响。最近听说，毕加索喜欢给那些到他家里来的画商们看这部片子，言下之意是毕加索不怀好意。不知这是不是真的。

◀ 伯格曼

自从八十年代以来，我经常从电影界和文学界的学院派那里听到伯格曼的名字和他所导演的几部著名片子，但我直到现在也没有机会看到他的代表作。1996年在"当代瑞典电影回顾展"上我才看到了他的晚年作品《芬妮与亚历山大》以及他编剧的《美好的愿望》。我把他的名字和自己的小说联系在一起，也许是一种拙劣的奇思异想（或胡思乱想）和虚荣心的混合，但这又有什么要紧呢？

▲ 拍《第七封印》时，伯格曼与死神

　　我很想把《野草莓》《哭泣与耳语》《第七封印》的剧照各选一幅在此，这对一个热爱它们却又无缘观看的人是一种安慰。但我手头的资料都不理想，那些照片没有我想象中的好看。这幅"伯格曼与死神"不是剧照，但我认为它比剧照更有趣。

▲ 中央新闻纪录电影制片厂片头雕塑

　　在七十年代，这是一个令我精神振奋、情绪激动的片头，当时的故事片很少，总是反复放映，令人失望。所以我更愿意看新闻片，看正片之前放映的《新闻简报》某某号，对于一个从未到过县城以外地方的少女，这是唯一的一个窗口。我曾在1975年的日记中记载了我在新闻简报中看到外国城市的激动心情，那是一种真实的激动。在我的印象中，《西哈努克亲王访问沈阳》《西哈努克亲王访问桂林》《万紫千红》这些斑斓明亮的片子就是在这个片头的引导下来到我的面前的。美丽的莫尼克公主，她的微笑在新闻片里出现，成为我早年生命中的光芒。

▶《五朵金花》海报

　　长期以来我一直认为《五朵金花》中的女主演杨丽坤是最美的女人，我曾经拥有一张巴掌大的她的头像，我把它夹在塑料封皮的本子里保存了很长时间。可惜现在这幅照片找不到了。海报上的杨丽坤与照片无法相比。

254

◀ 玛丽亚·卡拉斯

我在书中提到了
这位歌剧史上划时代
的人物，她被认为是
二十世纪第一女高音、
歌剧女王。因为玛丽
亚·卡拉斯、因为她的
美貌和故事，我才喜
欢歌剧中的女声。我
还将在以后的作品中
提到她。

▶ 黑泽明

黑泽明的电影是不可能在买票的电影院里看
到的。在1988年的香山，我曾有幸看到他的《罗
生门》和《乱》，去年我在电视里看到了他的晚年
作品《梦》，我特别喜欢《梦》。那些梦境超过史
诗。

▲ 戈达尔:《精疲力尽》剧照

　　我以为会找到一幅让－吕克·戈达尔的照片,但没有。这个被认为是最彻底、最激进、最强有力的新浪潮大师,我除了在1988年的香山看到过他的两部短纪录片外,再也没有看到他的任何片子。1999年11月中旬,在东棉花胡同39号的中央戏剧学院实验小剧院有一个法国电影周,在介绍电影的小册子上列着戈达尔的《芳名卡门》,但临时却被取消了,据说是因为该片暴露镜头太多。这里以一幅《精疲力尽》的剧照来与本书发生联系,只能如此。

◀ 希区柯克像

　　我在书中没有特别提到希区柯克,在大学时代看过《蝴蝶梦》,在香山看了《精神病患者》,在某一年的电视里看到他的一部好像叫《鸟》的电影片断。但希区柯克对我的影响超出了我自己的预料,《蝴蝶梦》和《鸟》的画面在我毫无觉察的情况下潜入了我的长篇《一个人的战争》和中篇《致命的飞翔》,成为它们精彩片断的组成部分。至今我仍认为,《蝴蝶梦》是我最喜欢的黑白电影之一。

跋

玻璃玻璃我爱你

写完十五万字的《玻璃虫》已经有一个多月，但内心的喜悦至今没有散去，我甚至想写一首歌，歌名就叫：

玻璃玻璃我爱你

玻璃到底是什么？不知道；为什么要爱玻璃呢？那就更不知道了。

无端的喜悦和爱在我的身体里穿梭，我不知道自己为什么这样高兴。我的上一部长篇《说吧，房间》还充满着职业女性的疲惫憔悴，这一部长篇却已是眉飞色舞，草肥水美。如果说前者是《红色娘子军》第一场，后者则是第二场。

这就是写作赋予写作者的奇迹。

写作首先应该照亮自己。

写什么不重要，怎么写也不重要，是否深刻不重要，是否富有道德感也不重要。关键的是它能否激扬你的生命，驱除你内心的黑暗，使你微笑、乐生、感恩。

《玻璃虫》的写作很奇异，它使我越写越惊喜，越写越灿烂，好像有一种美妙的气体，它把我全身都打通了。这是从来没有过的事情。在此前的长篇写作中，我明显感到生命消耗的速度在加快，我甚至决定，为了健康地活下去，我将不再写长篇了。在四月的一天，一个念头从天而降，我感到一部长篇正在来临，它是一部非小说，我把它命名为《电影记》。当我写完一章的时候，我才明白，它应该具有虚构的质地，那样才能确保它生动的面貌。

玻璃虫，这个名字从不知什么地方滚到了我的电脑上，林蛛蛛，这个生活在南方的女人也应声而起，散发出迷人的笑意。

玻璃虫，多么可爱的一种虫子啊！林蛛蛛，这个名字对我来说就是美妙的音乐。我将真实的人物和真实的事件镶嵌进虚构的小说之中，使它们浑然一体，当你以为它是真的时候，它有可能是假的；当你断定它是假的时候，它却可能是真的。

我曾经同时跟四个人谈恋爱吗？

我曾经在1988年的中央美院雕塑系当过裸体模特吗？

我曾经为了成为达利一天三次背诵达利语录吗？

我不知道它们是否真的发生过。

我的小说就是这样一只炼丹炉，它把假的变成真的，把真的变成假的。

真假共生，真与假互相拯救，这就是我喜欢的口号。

写作犹如做爱，双方水乳交融，使生命获得快感。

1999年12月8日

2000年1月4日改

图书在版编目(CIP)数据

玻璃虫:我的电影生涯:一部虚构的回忆录/林白著 . -
北京:作家出版社,2000. 3
ISBN 7 - 5063 - 1846 - 6

Ⅰ. 玻… Ⅱ. 林… Ⅲ. 长篇小说 - 中国 - 当代Ⅳ. I247.5

中国版本图书馆 CIP 数据核字(2000)第 12349 号

玻璃虫——我的电影生涯:一部虚构的回忆录

作者: 林 白
责任编辑: 林金荣
装帧设计: 吴文越
出版发行: 作家出版社
社址: 北京农展馆南里 10 号　　　　　**邮码:** 100026
电话传真: 86 - 10 - 65930756(出版发行部)
　　　　　　　86 - 10 - 65004079(总编室)
E - mail: wrtspub@public. bta. net. cn
http://5063. peoplespace. net
经销: 新华书店
印刷: 北京印刷一厂
开本: 850 × 1168　1/32
字数: 160 千
印张: 8. 25　　　　　　　　　　**插页:** 3
印数: 001 - 30000
版次: 2000 年 3 月北京第 1 版第 1 次印刷
ISBN 7 - 5063 - 1846 - 6/I · 1832
定价: 13. 00 元

作家版图书,版权所有,侵权必究。
作家版图书,印装错误可随时退换。

M8054-Ⅸ